重读《实践论》《矛盾论》

杨信礼 ◎著

人民出版社

策　　划：任　超
组　　稿：张振明
责任编辑：刘彦青　朱云河　余　平
封面设计：马淑玲
版式设计：胡欣欣
责任校对：吕　飞

图书在版编目(CIP)数据

重读《实践论》《矛盾论》/杨信礼 著. —北京：
人民出版社，2014.3(2017.10 重印)
ISBN 978-7-01-013308-9

Ⅰ.①重…　Ⅱ.①杨…　Ⅲ.①《实践论》-毛泽东著作研究
②《矛盾论》-毛泽东著作研究　Ⅳ.①A841.24

中国版本图书馆 CIP 数据核字(2014)第 043902 号

重读《实践论》《矛盾论》
CHONGDU SHIJIANLUN MAODUNLUN

杨信礼　著

人民出版社 出版发行
(100706　北京市东城区隆福寺街 99 号)

北京新华印刷有限公司印刷　新华书店经销

2014 年 3 月第 1 版　2017 年 10 月北京第 12 次印刷
开本：880 毫米×1230 毫米 1/32　印张：6.125
字数：132 千字　印数：215,001—265,000 册

ISBN 978-7-01-013308-9　定价：16.00 元

邮购地址 100706　北京市东城区隆福寺街 99 号
人民东方图书销售中心　电话 (010)65250042　65289539

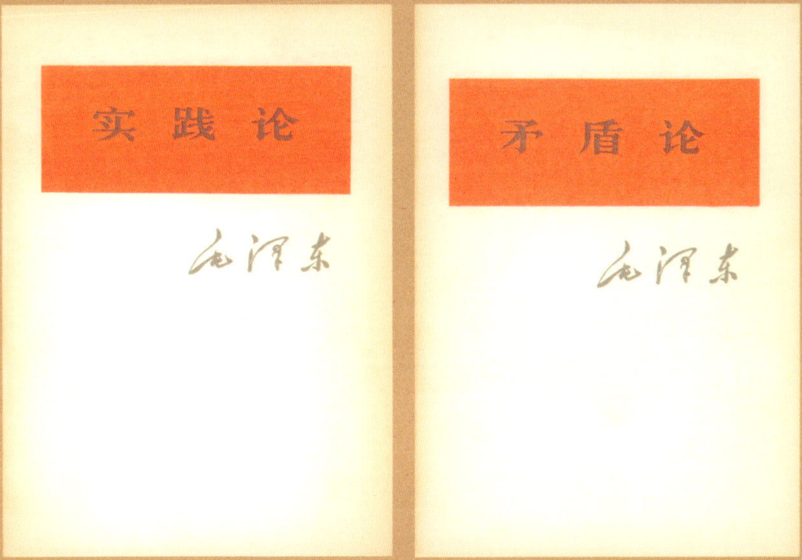

毛泽东

《实践论》《矛盾论》作为马克思主义哲学中国化的重要标志和毛泽东哲学思想的代表作，集中而系统地论述了辩证唯物主义认识论以及作为唯物辩证法之核心的对立统一规律，对于马克思主义与中国实际相结合的必要性作了充分的哲学论证，对于主观主义特别是教条主义作了深刻的哲学批判，为中国共产党人实现马克思主义与中国实际相结合、引导中国革命走向胜利提供了科学的世界观方法论。

前　言

恩格斯说:"我们党有个很大的优点,就是有一个新的科学的世界观作为理论的基础"①。马克思主义哲学作为"一个新的科学的世界观",是整个马克思主义理论体系的基础,是工人阶级政党领导广大人民群众认识世界和改造世界、进行革命和建设的精神武器与科学方法。中国共产党是以马克思主义为指导思想的政党,是中国工人阶级的先锋队以及中国人民和中华民族的先锋队,高度重视学习、运用、创新马克思主义哲学,既以马克思主义哲学指导波澜壮阔的中国革命和前无古人的社会主义建设实践,又在中国革命和建设实践过程中、在总结中国革命和建设实践经验的基础上丰富发展马克思主义哲学。毛泽东在新民主主义革命、社会主义革命和社会主义建设时期,一贯高度重视和大力提倡学习、运用马克思主义哲学,把马克思主义的科学方法比作政治上和军事上的望远镜和显微镜,把学通弄懂马克思主义哲学、掌握马克思主义科学方法作为探索社会主义建设

① 《马克思恩格斯文集》第2卷,人民出版社2009年版,第599页。

规律、进行社会主义现代化建设的思想前提。在改革开放的新的历史时期,邓小平指出:“搞社会主义一定要遵循马克思主义的辩证唯物主义和历史唯物主义”①,要用马克思主义的立场、观点、方法来分析问题、解决问题。“现在我们的干部中很多人不懂哲学,很需要从思想方法、工作方法上提高一步。”②江泽民说:“我们学习理论,关键是要学会运用马克思主义的立场、观点、方法来观察和解决问题,提高辩证思维的能力,防止形而上学和片面性。”③胡锦涛强调学习中国特色社会主义理论体系,最重要的是始终坚持中国特色社会主义理论体系的活的灵魂,始终坚持马克思主义立场、观点和方法。2010 年 3 月 1 日,习近平在中共中央党校春季学期开学典礼上的讲话中强调,必须努力掌握贯穿其中的马克思主义方法,用唯物辩证、实事求是、群众路线的思想方法和工作方法武装头脑、指导实践,不断提高领导工作水平。2013 年 12 月 3 日,习近平在主持中共中央政治局第十一次集体学习时指出,马克思主义哲学深刻揭示了客观世界特别是人类社会发展一般规律,在当今时代依然有着强大生命力,依然是指导我们共产党人前进的强大思想武器。我们党自成立起就高度重视在思想上建党,其中十分重要的一条就是坚持用马克思主义哲学教育和武装全党。学哲学、用哲学,是我们党的一个好传统。我们党在中国这样一个有着 13 亿多人口的大国执政,面对着十分复杂的国内外环境,肩负着繁重的执政使命,如果缺乏理论思维的有力支撑,是难以战胜各种风险

---

① 《邓小平文选》第 3 卷,人民出版社 1993 年版,第 118 页。

② 《邓小平文选》第 2 卷,人民出版社 1994 年版,第 303 页。

③ 《江泽民文选》第 2 卷,人民出版社 2006 年版,第 286 页。

和困难的，也是难以不断前进的。党的各级领导干部特别是高级干部，要原原本本学习和研读经典著作，努力把马克思主义哲学作为自己的看家本领，坚定理想信念，坚持正确政治方向，提高战略思维能力、综合决策能力、驾驭全局能力，团结带领人民不断书写改革开放历史新篇章。2015 年 1 月 23 日下午，中共中央政治局就辩证唯物主义基本原理和方法论进行第二十次集体学习。习近平在主持学习时的讲话中强调，我们党要团结带领人民协调推进全面建成小康社会、全面深化改革、全面依法治国、全面从严治党，实现“两个一百年”奋斗目标，实现中华民族伟大复兴的中国梦，必须不断接受马克思主义哲学智慧的滋养，更加自觉地坚持和运用辩证唯物主义世界观和方法论，增强辩证思维、战略思维能力，努力提高解决我国改革发展基本问题的本领。

《实践论》《矛盾论》作为中国化的马克思主义哲学——毛泽东哲学思想的代表作，从 1937 年诞生至今已经 80 年了，但仍以其高超的实践智慧、缜密的理论思维、独特的思想观点、鲜明的民族特色，为人们所反刍回味、学习运用。《实践论》《矛盾论》是党的实事求是思想路线的重要哲学基础，是马克思主义哲学中国化的重要标志，是反对主观主义特别是教条主义的思想武器，是中国共产党人领导中国革命、建设和改革的科学的世界观方法论。毛泽东之所以能够成为伟大的无产阶级革命家、战略家、理论家，是因为他高度重视马克思主义哲学的学习、研究和运用，善于以马克思主义的立场、观点、方法分析问题和解决问题，善于从哲学的高度总结历史经验，因而能够通观全局、高瞻远瞩、见微知著、深谋远虑；中国共产党之所以能够领导人民取得新民主主义革命与社会主义革命的胜利以及社会主义建设的巨大成就，实现民族独立、人民解放、国家强盛、人民富裕，就在于有以《实践论》《矛盾论》为代表的中国化的马克思主义哲学的指导，有一条马克思主义的思想路线。《实践论》《矛盾论》对于中国共产党人实现马克思主义哲学中国化，确立马克思主义思想路线，引导中国革命与建设走向胜利，发挥了极为重要的作用。今天我们重温《实践论》与《矛盾论》，学习运用其基本的哲学立场、观点、方法，坚持和贯彻党的思想路线，对于坚持和发展中国特色社会主义，实现国家富强、民族振兴、人民幸福的中华民族伟大复兴的中国梦，具有极为重要的意义。

目　录

实　践　论*

论认识和实践的关系——知和行的关系

（一九三七年七月）

毛　泽　东

马克思以前的唯物论，离开人的社会性，离开人的历史发展，去观察认识问题，因此不能了解认识对社会实践的依赖关系，即认识对生产和阶级斗争的依赖关系。

首先，马克思主义者认为人类的生产活动是最基本的实践活动，是决定其他一切活动的东西。人的认识，主要地依赖于物

---

* 在中国共产党内，曾经有一部分教条主义的同志长期拒绝中国革命的经验，否认“马克思主义不是教条而是行动的指南”这个真理，而只生吞活剥马克思主义书籍中的只言片语，去吓唬人们。还有另一部分经验主义的同志长期拘守于自身的片断经验，不了解理论对于革命实践的重要性，看不见革命的全局，虽然也是辛苦地——但却是盲目地在工作。这两类同志的错误思想，特别是教条主义思想，曾经在一九三一年至一九三四年使得中国革命受了极大的损失，而教条主义者却是披着马克思主义的外衣迷惑了广大的同志。毛泽东的《实践论》，是为着用马克思主义的认识论观点去揭露党内的教条主义和经验主义——特别是教条主义这些主观主义的错误而写的。因为重点是揭露看轻实践的教条主义这种主观主义，故题为《实践论》。毛泽东曾以这篇论文的观点在延安的抗日军事政治大学作过讲演。

质的生产活动，逐渐地了解自然的现象、自然的性质、自然的规律性、人和自然的关系；而且经过生产活动，也在各种不同程度上逐渐地认识了人和人的一定的相互关系。一切这些知识，离开生产活动是不能得到的。在没有阶级的社会中，每个人以社会一员的资格，同其他社会成员协力，结成一定的生产关系，从事生产活动，以解决人类物质生活问题。在各种阶级的社会中，各阶级的社会成员，则又以各种不同的方式，结成一定的生产关系，从事生产活动，以解决人类物质生活问题。这是人的认识发展的基本来源。

人的社会实践，不限于生产活动一种形式，还有多种其他的形式，阶级斗争，政治生活，科学和艺术的活动，总之社会实际生活的一切领域都是社会的人所参加的。因此，人的认识，在物质生活以外，还从政治生活文化生活中（与物质生活密切联系），在各种不同程度上，知道人和人的各种关系。其中，尤以各种形式的阶级斗争，给予人的认识发展以深刻的影响。在阶级社会中，每一个人都在一定的阶级地位中生活，各种思想无不打上阶级的烙印。

马克思主义者认为人类社会的生产活动，是一步又一步地由低级向高级发展，因此，人们的认识，不论对于自然界方面，对于社会方面，也都是一步又一步地由低级向高级发展，即由浅入深，由片面到更多的方面。在很长的历史时期内，大家对于社会的历史只能限于片面的了解，这一方面是由于剥削阶级的偏见经常歪曲社会的历史，另方面，则由于生产规模的狭小，限制了人们的眼界。人们能够对于社会历史的发展作全面的历史的了解，把对于社会的认识变成了科学，这只是到了伴随巨大生产力——大工业而出现近代无产阶级的时候，这就是马克思主义的科学。

马克思主义者认为，只有人们的社会实践，才是人们对于外界认识的真理性的标准。实际的情形是这样的，只有在社会实践过程中（物质生产过程中，阶级斗争过程中，科学实验过程中），人们达到了思想中所预想的结果时，人们的认识才被证实了。人们要想得到工作的胜利即得到预想的结果，一定要使自己的思想合于客观外界的规律性，如果不合，就会在实践中失败。人们经过失败之后，也就从失败取得教训，改正自己的思想使之适合于外界的规律性，人们就能变失败为胜利，所谓"失败者成功之母"，"吃一堑长一智"，就是这个道理。辩证唯物论的认识论把实践提到第一的地位，认为人的认识一点也不能离开实践，排斥一切否认实践重要性、使认识离开实践的错误理论。列宁这样说过："实践高于（理论的）认识，因为它不但有普遍性的品格，而且还有直接现实性的品格。"[①]马克思主义的哲学辩证唯物论有两个最显著的特点：一个是它的阶级性，公然申明辩证唯物论是为无产阶级服务的；再一个是它的实践性，强调理论对于实践的依赖关系，理论的基础是实践，又转过来为实践服务。判定认识或理论之是否真理，不是依主观上觉得如何而定，而是依客观上社会实践的结果如何而定。真理的标准只能是社会的实践。实践的观点是辩证唯物论的认识论之第一的和基本的观点[②]。

然而人的认识究竟怎样从实践发生，而又服务于实践呢？这只要看一看认识的发展过程就会明了的。

原来人在实践过程中，开始只是看到过程中各个事物的现象方面，看到各个事物的片面，看到各个事物之间的外部联系。例如有些外面的人们到延安来考察，头一二天，他们看到了延安的地形、街道、屋宇，接触了许多的人，参加了宴会、晚会和群众大会，听到了各种说话，看到了各种文件，这些就是事物的现象，事物的各个片面以及这些事物的外部联系。这叫做认识的感性阶段，就是感觉和印象的阶段。也就是延安这些各别的事物作用于考察团先生们的感官，引起了他们的感觉，在他们的脑子中生起了许多的印象，以及这些印象间的大概的外部的联系，这是认识的第一个阶段。在这个阶段中，人们还不能造成深刻的概念，作出合乎论理（即合乎逻辑）的结论。

社会实践的继续，使人们在实践中引起感觉和印象的东西反复了多次，于是在人们的脑子里生起了一个认识过程中的突变（即飞跃），产生了概念。概念这种东西已经不是事物的现象，不是事物的各个片面，不是它们的外部联系，而是抓着了事物的本质，事物的全体，事物的内部联系了。概念同感觉，不但是数量上的差别，而且有了性质上的差别。循此继进，使用判断和推理的方法，就可产生出合乎论理的结论来。《三国演义》上所谓“眉头一皱计上心来”，我们普通说话所谓“让我想一想”，就是人在脑子中运用概念以作判断和推理的工夫。这是认识的第二个阶段。外来的考察团先生们在他们集合了各种材料，加上他们“想了一想”之后，他们就能够作出“共产党的抗日民族统一战线的政策是彻底的、诚恳的和真实的”这样一个判断了。在他们作出这个判断之后，如果他们对于团结救国也是真实的的话，那末他们就能够进一步作出这样的结论：“抗日民族统一战线是能够成功的。”这个概念、判断和推理的阶段，在人们对于一个事物的整个认识过程中是更重要的阶段，也就是理性认识的阶段。认识的真正任务在于经过感觉而到达于思维，到达于逐步了解客观事物的内部矛盾，了解它的规律性，了解这一过程和那一过程间的内部联系，即到达于论理的认识。重复地说，论理的认识所以和感性的认识不同，是因为感性的认识是属于事物之片面的、现象的、外部联系的东西，论理的认识则推进了一大步，到达了事物的全体的、本质的、内部联系的东西，到达了暴露周围世界的内在的矛盾，因而能在周围世界的总体上，在周围世界一切方面的内部联系上去把握周围世界的发展。

这种基于实践的由浅入深的辩证唯物论的关于认识发展过程的理论，在马克思主义以前，是没有一个人这样解决过的。马克思主义的唯物论，第一次正确地解决了这个问题，唯物地而且辩证地指出了认识的深化的运动，指出了社会的人在他们的生产和阶级斗争的复杂的、经常反复的实践中，由感性认识到论理认识的推移的运动。列宁说过："物质的抽象，自然规律的抽象，价值的抽象以及其他等等，一句话，一切科学的（正确的、郑重的、非瞎说的）抽象，都更深刻、更正确、更完全地反映着自然。"③马克思列宁主义认为：认识过程中两个阶段的特性，在低级阶段，认识表现为感性的，在高级阶段，认识表现为论理的，但任何阶段，都是统一的认识过程中的阶段。感性和理性二者的性质不同，但又不是互相分离的，它们在实践的基础上统一起来了。我们的实践证明：感觉到了的东西，我们不能立刻理解它，只有理解了的东西才更深刻地感觉它。感觉只解决现象问题，理论才解决本质问题。这些问题的解决，一点也不能离开实践。无论何人要认识什么事物，除了同那个事物接触，即生活于（实践于)那个事物的环境中,是没有法子解决的。不能在封建社会就预先认识资本主义社会的规律,因为资本主义还未出现,还无这种实践。马克思主义只能是资本主义社会的产物。马克思不能在自由资本主义时代就预先具体地认识帝国主义时代的某些特异的规律,因为帝国主义这个资本主义最后阶段还未到来,还无这种实践,只有列宁和斯大林才能担当此项任务。马克思、恩格斯、列宁、斯大林之所以能够作出他们的理论,除了他们的天才条件之外,主要地是他们亲自参加了当时的阶级斗争和科学实验的实践,没有这后一个条件,任何天才也是不能成功的。"秀才不出门,全知天下事",在技术不发达的古代只是一句空话,在技术发达的现代虽然可以实现这句话,然而真正亲知的是天下实践着的人,那些人在他们的实践中间取得了"知",经过文字和技术的传达而到达于"秀才"之手,秀才乃能间接地"知天下事"。如果要直接地认识某种或某些事物,便只有亲身参加于变革现实、变革某种或某些事物的实践的斗争中,才能触到那种或那些事物的现象,也只有在亲身参加变革现实的实践的斗争中,才能暴露那种或那些事物的本质而理解它们。这是任何人实际上走着的认识路程,不过有些人故意歪曲地说些反对的话罢了。世上最可笑的是那些"知识里手[4]",有了道听途说的一知半解,便自封为"天下第一",适足见其不自量而已。知识的问题是一个科学问题,来不得半点的虚伪和骄傲,决定地需要的倒是其反面——诚实和谦逊的态度。你要有知识,你就得参加变革现实的实践。你要知道梨子的滋味,你就得变革梨子,亲口吃一吃。你要知道原子的组织同性质,你就得实行物理学和化学的实验,变革原子的情况。你要知道革命的理论和方法,你就得参加革命。一切真知都是从直接经验发源的。但人不能事事直接经验,事实上多数的知识都是间接经验的东西,这就是一切古代的和外域的知识。这些知识在古人在外人是直接经验的东西,如果在古人外人直接经验时是符合于列宁所说的条件"科学的抽象",是科学地反映了客观的事物,那末这些知识是可靠的,否则就是不可靠的。所以,一个人的知识,不外直接经验的和间接经验的两部分。而且在我为间接经验者,在人则仍为直接经验。因此,就知识的总体说来,无论何种知识都是不能离开直接经验的。任何知识的来源,在于人的肉体感官对客观外界的感觉,否认了这个感觉,否认了直接经验,否认亲自参加变革现实的实践,他就不是唯物论者。"知识里手"之所以可笑,原因就是在这个地方。中国人有一句老话:"不入虎穴,焉得虎子。"这句话对于人们的实践是真理,对于认识论也是真理。离开实践的认识是不可能的。

为了明了基于变革现实的实践而产生的辩证唯物论的认识运动——认识的逐渐深化的运动,下面再举出几个具体的例子。

无产阶级对于资本主义社会的认识,在其实践的初期——破坏机器和自发斗争时期,他们还只在感性认识的阶段,只认识资本主义各个现象的片面及其外部的联系。这时,他们还是一个所谓"自在的阶级"。但是到了他们实践的第二个时期——有意识有组织的经济斗争和政治斗争的时期,由于实践,由于长期斗争的经验,经过马克思、恩格斯用科学的方法把这种种经验总结起来,产生了马克思主义的理论,用以教育无产阶级,这样就使无产阶级理解了资本主义社会的本质,理解了社会阶级的剥削关系,理解了无产阶级的历史任务,这时他们就变成了一个

“自为的阶级”。

中国人民对于帝国主义的认识也是这样。第一阶段是表面的感性的认识阶段，表现在太平天国运动和义和团运动等笼统的排外主义的斗争上[5]。第二阶段才进到理性的认识阶段，看出了帝国主义内部和外部的各种矛盾，并看出了帝国主义联合中国买办阶级和封建阶级以压榨中国人民大众的实质，这种认识是从一九一九年五四运动[6]前后才开始的。

我们再来看战争。战争的领导者，如果他们是一些没有战争经验的人，对于一个具体的战争（例如我们过去十年的土地革命战争）的深刻的指导规律，在开始阶段是不了解的。他们在开始阶段只是身历了许多作战的经验，而且败仗是打得很多的。然而由于这些经验（胜仗，特别是败仗的经验），使他们能够理解贯串整个战争的内部的东西，即那个具体战争的规律性，懂得了战略和战术，因而能够有把握地去指导战争。此时，如果改换一个无经验的人去指导，又会要在吃了一些败仗之后（有了经验之后）才能理会战争的正确的规律。

常常听到一些同志在不能勇敢接受工作任务时说出来的一句话：没有把握。为什么没有把握呢？因为他对于这项工作的内容和环境没有规律性的了解，或者他从来就没有接触过这类工作，或者接触得不多，因而无从谈到这类工作的规律性。及至把工作的情况和环境给以详细分析之后，他就觉得比较地有了把握，愿意去做这项工作。如果这个人在这项工作中经过了一个时期，他有了这项工作的经验了，而他又是一个肯虚心体察情况的人，不是一个主观地、片面地、表面地看问题的人，他就能够自己做出应该怎样进行工作的结论，他的工作勇气也就可以大大地提高了。只有那些主观地、片面地和表面地看问题的人，跑到一个地方，不问环境的情况，不看事情的全体（事情的历史和全部现状），也不触到事情的本质（事情的性质及此一事情和其他事情的内部联系），就自以为是地发号施令起来，这样的人是没有不跌交子的。

由此看来，认识的过程，第一步，是开始接触外界事情，属于感觉的阶段。第二步，是综合感觉的材料加以整理和改造，属于概念、判断和推理的阶段。只有感觉的材料十分丰富（不是零碎不全）和合于实际（不是错觉），才能根据这样的材料造出正确的概念和论理来。

这里有两个要点必须着重指明。第一个，在前面已经说过的，这里再重复说一说，就是理性认识依赖于感性认识的问题。如果以为理性认识可以不从感性认识得来，他就是一个唯心论者。哲学史上有所谓"唯理论"一派，就是只承认理性的实在性，不承认经验的实在性，以为只有理性靠得住，而感觉的经验是靠不住的，这一派的错误在于颠倒了事实。理性的东西所以靠得住，正是由于它来源于感性，否则理性的东西就成了无源之水，无本之木，而只是主观自生的靠不住的东西了。从认识过程的秩序说来，感觉经验是第一的东西，我们强调社会实践在认识过程中的意义，就在于只有社会实践才能使人的认识开始发生，开始从客观外界得到感觉经验。一个闭目塞听、同客观外界根本绝缘的人，是无所谓认识的。认识开始于经验——这就是认识论的唯物论。

第二是认识有待于深化，认识的感性阶段有待于发展到理性阶段——这就是认识论的辩证法⑦。如果以为认识可以停顿在低级的感性阶段，以为只有感性认识可靠，而理性认识是靠不住的，这便是重复了历史上的"经验论"的错误。这种理论的错误，在于不知道感觉材料固然是客观外界某些真实性的反映（我这里不来说经验只是所谓内省体验的那种唯心的经验论），但它们仅是片面的和表面的东西，这种反映是不完全的，是没有反映事物本质的。要完全地反映整个的事物，反映事物的本质，反映事物的内部规律性，就必须经过思考作用，将丰富的感觉材料加以去粗取精、去伪存真、由此及彼、由表及里的改造制作工夫，造成概念和理论的系统，就必须从感性认识跃进到理性认识。这种改造过的认识，不是更空虚了更不可靠了的认识，相反，只要是在认识过程中根据于实践基础而科学地改造过的东西，正如列宁所说乃是更深刻、更正确、更完全地反映客观事物的东西。庸俗的事务主义家不是这样，他们尊重经验而看轻理论，因而不能通观客观过程的全体，缺乏明确的方针，没有远大的前途，沾沾自喜于一得之功和一孔之见。这种人如果指导革命，就会引导革命走上碰壁的地步。

理性认识依赖于感性认识，感性认识有待于发展到理性认识，这就是辩证唯物论的认识论。哲学上的"唯理论"和"经验论"都不懂得认识的历史性或辩证性，虽然各有片面的真理（对于唯物的唯理论和经验论而言，非指唯心的唯理论和经验论），但在认识论的全体上则都是错误的。由感性到理性之辩证唯物论的认识运动，对于一个小的认识过程（例如对于一个事物或一件工作的认识）是如此，对于一个大的认识过程（例如对于一个社会或一个革命的认识）也是如此。

然而认识运动至此还没有完结。辩证唯物论的认识运动，如果只到理性认识为止,那末还只说到问题的一半。而且对于马克思主义的哲学说来,还只说到非十分重要的那一半。马克思主义的哲学认为十分重要的问题,不在于懂得了客观世界的规律性,因而能够解释世界,而在于拿了这种对于客观规律性的认识去能动地改造世界。在马克思主义看来,理论是重要的,它的重要性充分地表现在列宁说过的一句话:“没有革命的理论,就不会有革命的运动。”⑧然而马克思主义看重理论,正是,也仅仅是,因为它能够指导行动。如果有了正确的理论,只是把它空谈一阵,束之高阁,并不实行,那末,这种理论再好也是没有意义的。认识从实践始,经过实践得到了理论的认识,还须再回到实践去。认识的能动作用,不但表现于从感性的认识到理性的认识之能动的飞跃,更重要的还须表现于从理性的认识到革命的实践这一个飞跃。抓着了世界的规律性的认识,必须把它再回到改造世界的实践中去,再用到生产的实践、革命的阶级斗争和民族斗争的实践以及科学实验的实践中去。这就是检验理论和发展理论的过程,是整个认识过程的继续。理论的东西之是否符合于客观真理性这个问题,在前面说的由感性到理性之认识运动中是没有完全解决的,也不能完全解决的。要完全地解决这个问题,只有把理性的认识再回到社会实践中去,应用理论于实践,看它是否能够达到预想的目的。许多自然科学理论之所以被称为真理,不但在于自然科学家们创立这些学说的时候,而且在于为尔后的科学实践所证实的时候。马克思列宁主义之所以被称为真理,也不但在于马克思、恩格斯、列宁、斯大林等人科学地构成这些学说的时候,而且在于为尔后革命的阶级斗争和民族斗争的实践所证实的时候。辩证唯物论之所以为普遍真理，在于经过无论什么人的实践都不能逃出它的范围。人类认识的历史告诉我们，许多理论的真理性是不完全的，经过实践的检验而纠正了它们的不完全性。许多理论是错误的，经过实践的检验而纠正其错误。所谓实践是真理的标准，所谓"生活、实践底观点，应该是认识论底首先的和基本的观点"[9]，理由就在这个地方。斯大林说得好："理论若不和革命实践联系起来，就会变成无对象的理论，同样，实践若不以革命理论为指南，就会变成盲目的实践。"[10]

说到这里，认识运动就算完成了吗？我们的答复是完成了，又没有完成。社会的人们投身于变革在某一发展阶段内的某一客观过程的实践中（不论是关于变革某一自然过程的实践，或变革某一社会过程的实践），由于客观过程的反映和主观能动性的作用，使得人们的认识由感性的推移到了理性的，造成了大体上相应于该客观过程的法则性的思想、理论、计划或方案，然后再应用这种思想、理论、计划或方案于该同一客观过程的实践，如果能够实现预想的目的，即将预定的思想、理论、计划、方案在该同一过程的实践中变为事实，或者大体上变为事实，那末，对于这一具体过程的认识运动算是完成了。例如，在变革自然的过程中，某一工程计划的实现，某一科学假想的证实，某一器物的制成，某一农产的收获，在变革社会过程中某一罢工的胜利，某一战争的胜利，某一教育计划的实现，都算实现了预想的目的。然而一般地说来，不论在变革自然或变革社会的实践中，人们原定的思想、理论、计划、方案，毫无改变地实现出来的事，是很少的。这是因为从事变革现实的人们，常常受着许多的限制，不但常常受着科学条件和技术条件的限制，而且也受着客观过程的发展及其表现程度的限制（客观过程的方面及本质尚未充分暴露）。在这种情形之下，由于实践中发现前所未料的情况，因而部分地改变思想、理论、计划、方案的事是常有的，全部地改变的事也是有的。即是说，原定的思想、理论、计划、方案，部分地或全部地不合于实际，部分错了或全部错了的事，都是有的。许多时候须反复失败过多次，才能纠正错误的认识，才能到达于和客观过程的规律性相符合，因而才能够变主观的东西为客观的东西，即在实践中得到预想的结果。但是不管怎样，到了这种时候，人们对于在某一发展阶段内的某一客观过程的认识运动，算是完成了。

然而对于过程的推移而言，人们的认识运动是没有完成的。任何过程，不论是属于自然界的和属于社会的，由于内部的矛盾和斗争，都是向前推移向前发展的，人们的认识运动也应跟着推移和发展。依社会运动来说，真正的革命的指导者，不但在于当自己的思想、理论、计划、方案有错误时须得善于改正，如同上面已经说到的，而且在于当某一客观过程已经从某一发展阶段向另一发展阶段推移转变的时候，须得善于使自己和参加革命的一切人员在主观认识上也跟着推移转变，即是要使新的革命任务和新的工作方案的提出，适合于新的情况的变化。革命时期情况的变化是很急速的，如果革命党人的认识不能随之而急速变化，就不能引导革命走向胜利。

然而思想落后于实际的事是常有的，这是因为人的认识受了许多社会条件的限制的缘故。我们反对革命队伍中的顽固派，他们的思想不能随变化了的客观情况而前进，在历史上表现为右倾机会主义。这些人看不出矛盾的斗争已将客观过程推向前进了，而他们的认识仍然停止在旧阶段。一切顽固党的思想都有这样的特征。他们的思想离开了社会的实践，他们不能站在社会车轮的前头充任向导的工作，他们只知跟在车子后面怨恨车子走得太快了，企图把它向后拉，开倒车。

我们也反对“左”翼空谈主义。他们的思想超过客观过程的一定发展阶段，有些把幻想看作真理，有些则把仅在将来有现实可能性的理想，勉强地放在现时来做，离开了当前大多数人的实践，离开了当前的现实性，在行动上表现为冒险主义。

唯心论和机械唯物论，机会主义和冒险主义，都是以主观和客观相分裂，以认识和实践相脱离为特征的。以科学的社会实践为特征的马克思列宁主义的认识论，不能不坚决反对这些错误思想。马克思主义者承认，在绝对的总的宇宙发展过程中，各个具体过程的发展都是相对的，因而在绝对真理的长河中，人们对于在各个一定发展阶段上的具体过程的认识只具有相对的真理性。无数相对的真理之总和，就是绝对的真理[11]。客观过程的发展是充满着矛盾和斗争的发展，人的认识运动的发展也是充满着矛盾和斗争的发展。一切客观世界的辩证法的运动，都或先或后地能够反映到人的认识中来。社会实践中的发生、发展和消灭的过程是无穷的，人的认识的发生、发展和消灭的过程也是无穷的。根据于一定的思想、理论、计划、方案以从事于变革客观现实的实践，一次又一次地向前，人们对于客观现实的认识也就一次又一次地深化。客观现实世界的变化运动永远没有完结，人们在实践中对于真理的认识也就永远没有完结。马克思列宁主义并没有结束真理，而是在实践中不断地开辟认识真理的道路。我们的结论是主观和客观、理论和实践、知和行的具体的历史的统一，反对一切离开具体历史的“左”的或右的错误思想。

社会的发展到了今天的时代，正确地认识世界和改造世界的责任，已经历史地落在无产阶级及其政党的肩上。这种根据科学认识而定下来的改造世界的实践过程，在世界、在中国均已到达了一个历史的时节——自有历史以来未曾有过的重大时节，这就是整个儿地推翻世界和中国的黑暗面，把它们转变过来成为前所未有的光明世界。无产阶级和革命人民改造世界的斗争，包括实现下述的任务：改造客观世界，也改造自己的主观世界——改造自己的认识能力，改造主观世界同客观世界的关系。地球上已经有一部分实行了这种改造，这就是苏联。他们还正在促进这种改造过程。中国人民和世界人民也都正在或将要通过这样的改造过程。所谓被改造的客观世界，其中包括了一切反对改造的人们，他们的被改造，须要通过强迫的阶段，然后才能进入自觉的阶段。世界到了全人类都自觉地改造自己和改造世界的时候，那就是世界的共产主义时代。

通过实践而发现真理，又通过实践而证实真理和发展真理。从感性认识而能动地发展到理性认识，又从理性认识而能动地指导革命实践，改造主观世界和客观世界。实践、认识、再实践、再认识，这种形式，循环往复以至无穷，而实践和认识之每一循环的内容，都比较地进到了高一级的程度。这就是辩证唯物论的全部认识论，这就是辩证唯物论的知行统一观。

注　释

① 见列宁《黑格尔〈逻辑学〉一书摘要》。新的译文是："实践高于（理论的）认识，因为它不仅具有普遍性的品格，而且还具有直接现实性的品格。"（《列宁全集》第 55 卷，人民出版社 1990 年版，第 183 页）

② 参见马克思《关于费尔巴哈的提纲》（《马克思恩格斯选集》第 1 卷，人民出版社 1972 年版，第 16—19 页）和列宁《唯物主义和经验批判主义》第二章第六节（《列宁全集》第 18 卷，人民出版社 1988 年版，第 144 页）。

③ 见列宁《黑格尔〈逻辑学〉一书摘要》（《列宁全集》第 55 卷，人民出版社 1990 年版，第 142 页）。

④ 里手，湖南方言，内行的意思。

⑤ 一九五一年三月二十七日，毛泽东在致李达的信中说："《实践论》中将太平天国放在排外主义一起说不妥，出选集时拟加修改，此处暂仍照原。"

⑥ 五四运动是一九一九年五月四日发生的反帝反封建的爱国运动。当时，第一次世界大战刚刚结束，英、美、法、日、意等战胜国在巴黎召开对德和会，决定由日本继承德国在中国山东的特权。中国是参加对德宣战的战胜国之一，但北洋军阀政府却准备接受这个决定。五月四日，北京学生游行示威，反对帝国主义的这一无理决定和北洋军阀政府的妥协。这次运动迅速地获得了全国人民的响应，到六月三日以后，发展成为有工人阶级、城市小资产阶级和民族资产阶级参加的广大群众性的反帝反封建的爱国运动。五四运动也是反对封建文化的新文化运动。以一九一五年《青年杂志》（后改名《新青年》）创刊为起点的新文化运动，竖起"民主"和"科学"的旗帜，反对旧道德，提倡新道德，反对旧文学，提倡新文学。五四运动中的先进分子接受了马克思主义，使新文化运动发展成为马克思主义思想运动，他们致力于马克思主义同中国工人运动相结合，在思想上和干部上准备了中国共产党的成立。

⑦ 参见列宁《黑格尔〈逻辑学〉一书摘要》："要理解，就必须从经验开始理解、研究，从经验上升到一般。"（《列宁全集》第 55 卷，人民出版社 1990 年版，第 175 页）

⑧ 见列宁《俄国社会民主党人的任务》（《列宁全集》第 2 卷，人民出版社 1984 年版，第 443 页）；并见列宁《怎么办?》第一章第四节（《列宁全集》第 6 卷，人民出版社 1986 年版，第 23 页）。

⑨ 见列宁《唯物主义和经验批判主义》第二章第六节（《列宁全集》第 18 卷，人民出版社 1988 年版，第 144 页）。

⑩ 见斯大林《论列宁主义基础》第三部分《理论》。新的译文是："离开革命实践的理论是空洞的理论，而不以革命理论为指南的实践是盲目的实践。"

（《斯大林选集》上卷，人民出版社 1979 年版，第 199—200 页）

⑪　参见列宁《唯物主义和经验批判主义》第二章第五节。原文是："人类思维按其本性是能够给我们提供并且正在提供由相对真理的总和所构成的绝对真理的。"（《列宁全集》第 18 卷，人民出版社 1988 年版，第 135 页）

矛 盾 论*

(一九三七年八月)

毛 泽 东

事物的矛盾法则,即对立统一的法则,是唯物辩证法的最根本的法则。列宁说:“就本来的意义讲,辩证法是研究对象的本质自身中的矛盾。”[①]列宁常称这个法则为辩证法的本质,又称之为辩证法的核心[②]。因此,我们在研究这个法则时,不得不涉及广泛的方面,不得不涉及许多的哲学问题。如果我们将这些问题都弄清楚了,我们就在根本上懂得了唯物辩证法。这些问题是:两种宇宙观;矛盾的普遍性;矛盾的特殊性;主要的矛盾和主要的矛盾方面;矛盾诸方面的同一性和斗争性;对抗在矛盾中的地位。

苏联哲学界在最近数年中批判了德波林学派[③]的唯心论,这件事引起了我们的极大的兴趣。德波林的唯心论在中国共产党内发生了极坏的影响,我们党内的教条主义思想不能说和这

---

* 这篇哲学论文,是毛泽东继《实践论》之后,为了同一的目的,即为了克服存在于中国共产党内的严重的教条主义思想而写的,曾在延安的抗日军事政治大学作过讲演。在收入本书第一版的时候,作者作了部分的补充、删节和修改。

个学派的作风没有关系。因此,我们现在的哲学研究工作,应当以扫除教条主义思想为主要的目标。

一 两种宇宙观

在人类的认识史中,从来就有关于宇宙发展法则的两种见解,一种是形而上学的见解,一种是辩证法的见解,形成了互相对立的两种宇宙观。列宁说:"对于发展(进化)所持的两种基本的(或两种可能的?或两种在历史上常见的?)观点是:(一)认为发展是减少和增加,是重复;(二)认为发展是对立的统一(统一物分成为两个互相排斥的对立,而两个对立又互相关联着)。"④列宁说的就是这两种不同的宇宙观。

形而上学,亦称玄学。这种思想,无论在中国,在欧洲,在一个很长的历史时间内,是属于唯心论的宇宙观,并在人们的思想中占了统治的地位。在欧洲,资产阶级初期的唯物论,也是形而上学的。由于欧洲许多国家的社会经济情况进到了资本主义高度发展的阶段,生产力、阶级斗争和科学均发展到了历史上未有过的水平,工业无产阶级成为历史发展的最伟大的动力,因而产生了马克思主义的唯物辩证法的宇宙观。于是,在资产阶级那里,除了公开的极端露骨的反动的唯心论之外,还出现了庸俗的进化论,出来对抗唯物辩证法。

所谓形而上学的或庸俗进化论的宇宙观,就是用孤立的、静止的和片面的观点去看世界。这种宇宙观把世界一切事物,一切事物的形态和种类,都看成是永远彼此孤立和永远不变化的。如果说有变化,也只是数量的增减和场所的变更。而这种增减和变更的原因，不在事物的内部而在事物的外部，即是由于外力的推动。形而上学家认为，世界上各种不同事物和事物的特性，从它们一开始存在的时候就是如此。后来的变化，不过是数量上的扩大或缩小。他们认为一种事物永远只能反复地产生为同样的事物，而不能变化为另一种不同的事物。在形而上学家看来，资本主义的剥削，资本主义的竞争，资本主义社会的个人主义思想等，就是在古代的奴隶社会里，甚至在原始社会里，都可以找得出来，而且会要永远不变地存在下去。说到社会发展的原因，他们就用社会外部的地理、气候等条件去说明。他们简单地从事物外部去找发展的原因，否认唯物辩证法所主张的事物因内部矛盾引起发展的学说。因此，他们不能解释事物的质的多样性，不能解释一种质变为他种质的现象。这种思想，在欧洲，在十七世纪和十八世纪是机械唯物论，在十九世纪末和二十世纪初则有庸俗进化论。在中国，则有所谓“天不变，道亦不变”⑤的形而上学的思想，曾经长期地为腐朽了的封建统治阶级所拥护。近百年来输入了欧洲的机械唯物论和庸俗进化论，则为资产阶级所拥护。

和形而上学的宇宙观相反，唯物辩证法的宇宙观主张从事物的内部、从一事物对他事物的关系去研究事物的发展，即把事物的发展看做是事物内部的必然的自己的运动，而每一事物的运动都和它的周围其他事物互相联系着和互相影响着。事物发展的根本原因，不是在事物的外部而是在事物的内部，在于事物内部的矛盾性。任何事物内部都有这种矛盾性，因此引起了事物的运动和发展。事物内部的这种矛盾性是事物发展的根本原因，一事物和他事物的互相联系和互相影响则是事物发展的第二位的原因。这样,唯物辩证法就有力地反对了形而上学的机械唯物论和庸俗进化论的外因论或被动论。这是清楚的,单纯的外部原因只能引起事物的机械的运动,即范围的大小,数量的增减,不能说明事物何以有性质上的千差万别及其互相变化。事实上,即使是外力推动的机械运动,也要通过事物内部的矛盾性。植物和动物的单纯的增长,数量的发展,主要地也是由于内部矛盾所引起的。同样,社会的发展,主要地不是由于外因而是由于内因。许多国家在差不多一样的地理和气候的条件下,它们发展的差异性和不平衡性,非常之大。同一个国家吧,在地理和气候并没有变化的情形下,社会的变化却是很大的。帝国主义的俄国变为社会主义的苏联,封建的闭关锁国的日本变为帝国主义的日本,这些国家的地理和气候并没有变化。长期地被封建制度统治的中国,近百年来发生了很大的变化,现在正在变化到一个自由解放的新中国的方向去,中国的地理和气候并没有变化。整个地球及地球各部分的地理和气候也是变化着的,但以它们的变化和社会的变化相比较,则显得很微小,前者是以若干万年为单位而显现其变化的,后者则在几千年、几百年、几十年、甚至几年或几个月(在革命时期)内就显现其变化了。按照唯物辩证法的观点,自然界的变化,主要地是由于自然界内部矛盾的发展。社会的变化,主要地是由于社会内部矛盾的发展,即生产力和生产关系的矛盾,阶级之间的矛盾,新旧之间的矛盾,由于这些矛盾的发展,推动了社会的前进,推动了新旧社会的代谢。唯物辩证法是否排除外部的原因呢?并不排除。唯物辩证法认为外因是变化的条件,内因是变化的根据,外因通过内因而起作用。鸡蛋因得适当的温度而变化为鸡子,但温度不能使石头变为鸡子，因为二者的根据是不同的。各国人民之间的互相影响是时常存在的。在资本主义时代，特别是在帝国主义和无产阶级革命的时代，各国在政治上、经济上和文化上的互相影响和互相激动，是极其巨大的。十月社会主义革命不只是开创了俄国历史的新纪元，而且开创了世界历史的新纪元，影响到世界各国内部的变化，同样地而且还特别深刻地影响到中国内部的变化，但是这种变化是通过了各国内部和中国内部自己的规律性而起的。两军相争，一胜一败，所以胜败，皆决于内因。胜者或因其强，或因其指挥无误，败者或因其弱，或因其指挥失宜，外因通过内因而引起作用。一九二七年中国大资产阶级战败了无产阶级，是通过中国无产阶级内部的（中国共产党内部的）机会主义而起作用的。当着我们清算了这种机会主义的时候，中国革命就重新发展了。后来，中国革命又受了敌人的严重的打击，是因为我们党内产生了冒险主义。当着我们清算了这种冒险主义的时候，我们的事业就又重新发展了。由此看来，一个政党要引导革命到胜利，必须依靠自己政治路线的正确和组织上的巩固。

辩证法的宇宙观，不论在中国，在欧洲，在古代就产生了。但是古代的辩证法带着自发的朴素的性质，根据当时的社会历史条件，还不可能有完备的理论，因而不能完全解释宇宙，后来就被形而上学所代替。生活在十八世纪末和十九世纪初期的德国著名哲学家黑格尔，对于辩证法曾经给了很重要的贡献，但是他的辩证法却是唯心的辩证法。直到无产阶级运动的伟大的活动家马克思和恩格斯综合了人类认识史的积极的成果，特别是批判地吸取了黑格尔的辩证法的合理的部分，创造了辩证唯物论和历史唯物论这个伟大的理论，才在人类认识史上起了一个空前的大革命。后来，经过列宁和斯大林，又发展了这个伟大的理论。这个理论一经传到中国来，就在中国思想界引起了极大的变化。

这个辩证法的宇宙观，主要地就是教导人们要善于去观察和分析各种事物的矛盾的运动，并根据这种分析，指出解决矛盾的方法。因此，具体地了解事物矛盾这一个法则，对于我们是非常重要的。

二 矛盾的普遍性

为了叙述的便利起见，我在这里先说矛盾的普遍性，再说矛盾的特殊性。这是因为马克思主义的伟大的创造者和继承者马克思、恩格斯、列宁、斯大林他们发现了唯物辩证法的宇宙观，已经把唯物辩证法应用在人类历史的分析和自然历史的分析的许多方面，应用在社会的变革和自然的变革（例如在苏联）的许多方面，获得了极其伟大的成功，矛盾的普遍性已经被很多人所承认，因此，关于这个问题只需要很少的话就可以说明白；而关于矛盾的特殊性的问题，则还有很多的同志，特别是教条主义者，弄不清楚。他们不了解矛盾的普遍性即寓于矛盾的特殊性之中。他们也不了解研究当前具体事物的矛盾的特殊性，对于我们指导革命实践的发展有何等重要的意义。因此，关于矛盾的特殊性的问题应当着重地加以研究，并用足够的篇幅加以说明。为了这个缘故，当着我们分析事物矛盾的法则的时候，我们就先来分析矛盾的普遍性的问题，然后再着重地分析矛盾的特殊性的问题,最后仍归到矛盾的普遍性的问题。

矛盾的普遍性或绝对性这个问题有两方面的意义。其一是说,矛盾存在于一切事物的发展过程中;其二是说,每一事物的发展过程中存在着自始至终的矛盾运动。

恩格斯说:“运动本身就是矛盾。”[⑥]列宁对于对立统一法则所下的定义,说它就是“承认(发现)自然界(精神和社会两者也在内)的一切现象和过程都含有互相矛盾、互相排斥、互相对立的趋向”[⑦]。这些意见是对的吗?是对的。一切事物中包含的矛盾方面的相互依赖和相互斗争,决定一切事物的生命,推动一切事物的发展。没有什么事物是不包含矛盾的,没有矛盾就没有世界。

矛盾是简单的运动形式(例如机械性的运动)的基础,更是复杂的运动形式的基础。

恩格斯这样说明过矛盾的普遍性:“如果简单的机械的移动本身包含着矛盾,那末,物质的更高的运动形式,特别是有机生命及其发展,就更加包含着矛盾。……生命首先就在于:生物在每一个瞬间是它自身,但却又是别的什么。所以,生命也是存在于物体和过程本身中的不断地自行产生并自行解决的矛盾;这一矛盾一停止,生命亦即停止,于是死就来到。同样,我们看到了,在思维的范围以内我们也不能避免矛盾,并且我们看到了,例如,人的内部无限的认识能力与此种认识能力仅在外部被局限的而且认识上也被局限的个别人们身上的实际的实现二者之间的矛盾,是在人类世代的无穷的——至少对于我们,实际上是无穷的——连续系列之中,是在无穷的前进运动之中解决的。”

“高等数学的主要基础之一,就是矛盾……”

“就是初等数学,也充满着矛盾。……”⑧

列宁也这样说明过矛盾的普遍性:“在数学中,正和负,微分和积分。

在力学中,作用和反作用。

在物理学中,阳电和阴电。

在化学中,原子的化合和分解。

在社会科学中,阶级斗争。”⑨

战争中的攻守,进退,胜败,都是矛盾着的现象。失去一方,他方就不存在。双方斗争而又联结,组成了战争的总体,推动了战争的发展,解决了战争的问题。

人的概念的每一差异,都应把它看作是客观矛盾的反映。客观矛盾反映入主观的思想,组成了概念的矛盾运动,推动了思想的发展,不断地解决了人们的思想问题。

党内不同思想的对立和斗争是经常发生的,这是社会的阶级矛盾和新旧事物的矛盾在党内的反映。党内如果没有矛盾和解决矛盾的思想斗争,党的生命也就停止了。

由此看来,不论是简单的运动形式,或复杂的运动形式,不论是客观现象,或思想现象,矛盾是普遍地存在着,矛盾存在于一切过程中,这一点已经弄清楚了。但是每一过程的开始阶段,是否也有矛盾存在呢?是否每一事物的发展过程具有自始至终的矛盾运动呢?

从苏联哲学界批判德波林学派的文章中看出,德波林学派有这样一种见解,他们认为矛盾不是一开始就在过程中出现,须待过程发展到一定的阶段才出现。那末,在那一时间以前,过程发展的原因不是由于内部的原因，而是由于外部的原因了。这样，德波林回到形而上学的外因论和机械论去了。拿这种见解去分析具体的问题，他们就看见在苏联条件下富农和一般农民之间只有差异，并无矛盾，完全同意了布哈林的意见。在分析法国革命时，他们就认为在革命前，工农资产阶级合组的第三等级中，也只有差异，并无矛盾。德波林学派这类见解是反马克思主义的。他们不知道世界上的每一差异中就已经包含着矛盾，差异就是矛盾。劳资之间，从两阶级发生的时候起，就是互相矛盾的，仅仅还没有激化而已。工农之间，即使在苏联的社会条件下，也有差异，它们的差异就是矛盾，仅仅不会激化成为对抗，不取阶级斗争的形态，不同于劳资间的矛盾；它们在社会主义建设中形成巩固的联盟，并在由社会主义走向共产主义的发展过程中逐渐地解决这个矛盾。这是矛盾的差别性的问题，不是矛盾的有无的问题。矛盾是普遍的、绝对的，存在于事物发展的一切过程中，又贯串于一切过程的始终。

新过程的发生是什么呢？这是旧的统一和组成此统一的对立成分让位于新的统一和组成此统一的对立成分，于是新过程就代替旧过程而发生。旧过程完结了，新过程发生了。新过程又包含着新矛盾，开始它自己的矛盾发展史。

事物发展过程的自始至终的矛盾运动，列宁指出马克思在《资本论》中模范地作了这样的分析。这是研究任何事物发展过程所必须应用的方法。列宁自己也正确地应用了它，贯彻于他的全部著作中。

“马克思在《资本论》中，首先分析的是资产阶级社会（商品社会）里最简单的、最普通的、最基本的、最常见的、最平常的、碰到亿万次的关系——商品交换。这一分析在这个最简单的现象之中(资产阶级社会的这个'细胞'之中)暴露了现代社会的一切矛盾(以及一切矛盾的胚芽)。往后的叙述又向我们表明了这些矛盾和这个社会各个部分总和的自始至终的发展(增长与运动两者)。”

列宁说了上面的话之后,接着说道:“这应该是一般辩证法的……叙述(以及研究)方法。”⑩

中国共产党人必须学会这个方法,才能正确地分析中国革命的历史和现状,并推断革命的将来。

三 矛盾的特殊性

矛盾存在于一切事物发展的过程中,矛盾贯串于每一事物发展过程的始终,这是矛盾的普遍性和绝对性,前面已经说过了。现在来说矛盾的特殊性和相对性。

这个问题,应从几种情形中去研究。

首先是各种物质运动形式中的矛盾,都带特殊性。人的认识物质,就是认识物质的运动形式,因为除了运动的物质以外,世界上什么也没有,而物质的运动则必取一定的形式。对于物质的每一种运动形式,必须注意它和其他各种运动形式的共同点。但是,尤其重要的,成为我们认识事物的基础的东西,则是必须注意它的特殊点,就是说,注意它和其他运动形式的质的区别。只有注意了这一点,才有可能区别事物。任何运动形式,其内部都包含着本身特殊的矛盾。这种特殊的矛盾,就构成一事物区别于他事物的特殊的本质。这就是世界上诸种事物所以有千差万别的内在的原因,或者叫做根据。自然界存在着许多的运动形式,机械运动、发声、发光、发热、电流、化分、化合等等都是。所有这些物质的运动形式,都是互相依存的,又是本质上互相区别的。每一物质的运动形式所具有的特殊的本质,为它自己的特殊的矛盾所规定。这种情形,不但在自然界中存在着,在社会现象和思想现象中也是同样地存在着。每一种社会形式和思想形式,都有它的特殊的矛盾和特殊的本质。

科学研究的区分,就是根据科学对象所具有的特殊的矛盾性。因此,对于某一现象的领域所特有的某一种矛盾的研究,就构成某一门科学的对象。例如,数学中的正数和负数,机械学中的作用和反作用,物理学中的阴电和阳电,化学中的化分和化合,社会科学中的生产力和生产关系、阶级和阶级的互相斗争,军事学中的攻击和防御,哲学中的唯心论和唯物论、形而上学观和辩证法观等等,都是因为具有特殊的矛盾和特殊的本质,才构成了不同的科学研究的对象。固然,如果不认识矛盾的普遍性,就无从发现事物运动发展的普遍的原因或普遍的根据;但是,如果不研究矛盾的特殊性,就无从确定一事物不同于他事物的特殊的本质,就无从发现事物运动发展的特殊的原因,或特殊的根据,也就无从辨别事物,无从区分科学研究的领域。

就人类认识运动的秩序说来,总是由认识个别的和特殊的事物,逐步地扩大到认识一般的事物。人们总是首先认识了许多不同事物的特殊的本质,然后才有可能更进一步地进行概括工作,认识诸种事物的共同的本质。当着人们已经认识了这种共同的本质以后,就以这种共同的认识为指导,继续地向着尚未研究过的或者尚未深入地研究过的各种具体的事物进行研究,找出其特殊的本质，这样才可以补充、丰富和发展这种共同的本质的认识，而使这种共同的本质的认识不致变成枯槁的和僵死的东西。这是两个认识的过程：一个是由特殊到一般，一个是由一般到特殊。人类的认识总是这样循环往复地进行的，而每一次的循环（只要是严格地按照科学的方法）都可能使人类的认识提高一步，使人类的认识不断地深化。我们的教条主义者在这个问题上的错误，就是，一方面，不懂得必须研究矛盾的特殊性，认识各别事物的特殊的本质，才有可能充分地认识矛盾的普遍性，充分地认识诸种事物的共同的本质；另一方面，不懂得在我们认识了事物的共同的本质以后，还必须继续研究那些尚未深入地研究过的或者新冒出来的具体的事物。我们的教条主义者是懒汉，他们拒绝对于具体事物做任何艰苦的研究工作，他们把一般真理看成是凭空出现的东西，把它变成为人们所不能够捉摸的纯粹抽象的公式，完全否认了并且颠倒了这个人类认识真理的正常秩序。他们也不懂得人类认识的两个过程的互相联结——由特殊到一般，又由一般到特殊，他们完全不懂得马克思主义的认识论。

不但要研究每一个大系统的物质运动形式的特殊的矛盾性及其所规定的本质，而且要研究每一个物质运动形式在其发展长途中的每一个过程的特殊的矛盾及其本质。一切运动形式的每一个实在的非臆造的发展过程内，都是不同质的。我们的研究工作必须着重这一点，而且必须从这一点开始。

不同质的矛盾，只有用不同质的方法才能解决。例如，无产阶级和资产阶级的矛盾，用社会主义革命的方法去解决；人民大众和封建制度的矛盾，用民主革命的方法去解决；殖民地和帝国主义的矛盾,用民族革命战争的方法去解决;在社会主义社会中工人阶级和农民阶级的矛盾,用农业集体化和农业机械化的方法去解决;共产党内的矛盾,用批评和自我批评的方法去解决;社会和自然的矛盾,用发展生产力的方法去解决。过程变化,旧过程和旧矛盾消灭,新过程和新矛盾发生,解决矛盾的方法也因之而不同。俄国的二月革命和十月革命所解决的矛盾及其所用以解决矛盾的方法是根本上不相同的。用不同的方法去解决不同的矛盾,这是马克思列宁主义者必须严格地遵守的一个原则。教条主义者不遵守这个原则,他们不了解诸种革命情况的区别,因而也不了解应当用不同的方法去解决不同的矛盾,而只是千篇一律地使用一种自以为不可改变的公式到处硬套,这就只能使革命遭受挫折,或者将本来做得好的事情弄得很坏。

为要暴露事物发展过程中的矛盾在其总体上、在其相互联结上的特殊性,就是说暴露事物发展过程的本质,就必须暴露过程中矛盾各方面的特殊性,否则暴露过程的本质成为不可能,这也是我们作研究工作时必须十分注意的。

一个大的事物,在其发展过程中,包含着许多的矛盾。例如,在中国资产阶级民主革命过程中,有中国社会各被压迫阶级和帝国主义的矛盾,有人民大众和封建制度的矛盾,有无产阶级和资产阶级的矛盾,有农民及城市小资产阶级和资产阶级的矛盾,有各个反动的统治集团之间的矛盾等等,情形是非常复杂的。这些矛盾,不但各各有其特殊性,不能一律看待,而且每一矛盾的两方面,又各各有其特点,也是不能一律看待的。我们从事中国革命的人,不但要在各个矛盾的总体上,即矛盾的相互联结上,了解其特殊性,而且只有从矛盾的各个方面着手研究,才有可能了解其总体。所谓了解矛盾的各个方面，就是了解它们每一方面各占何等特定的地位，各用何种具体形式和对方发生互相依存又互相矛盾的关系，在互相依存又互相矛盾中，以及依存破裂后，又各用何种具体的方法和对方作斗争。研究这些问题，是十分重要的事情。列宁说：马克思主义的最本质的东西，马克思主义的活的灵魂，就在于具体地分析具体的情况[11]。就是说的这个意思。我们的教条主义者违背列宁的指示，从来不用脑筋具体地分析任何事物，做起文章或演说来，总是空洞无物的八股调，在我们党内造成了一种极坏的作风。

研究问题，忌带主观性、片面性和表面性。所谓主观性，就是不知道客观地看问题，也就是不知道用唯物的观点去看问题。这一点，我在《实践论》一文中已经说过了。所谓片面性，就是不知道全面地看问题。例如：只了解中国一方、不了解日本一方，只了解共产党一方、不了解国民党一方，只了解无产阶级一方、不了解资产阶级一方，只了解农民一方、不了解地主一方，只了解顺利情形一方、不了解困难情形一方，只了解过去一方、不了解将来一方，只了解个体一方、不了解总体一方，只了解缺点一方、不了解成绩一方，只了解原告一方、不了解被告一方，只了解革命的秘密工作一方、不了解革命的公开工作一方，如此等等。一句话，不了解矛盾各方的特点。这就叫做片面地看问题。或者叫做只看见局部，不看见全体，只看见树木，不看见森林。这样，是不能找出解决矛盾的方法的，是不能完成革命任务的，是不能做好所任工作的，是不能正确地发展党内的思想斗争的。孙子论军事说："知彼知己，百战不殆。"[12]他说的是作战的双方。唐朝人魏徵说过："兼听则明，偏信则暗。"[13]也懂得片面性不对。

可是我们的同志看问题，往往带片面性，这样的人就往往碰钉子。《水浒传》上宋江三打祝家庄[14]，两次都因情况不明，方法不对，打了败仗。后来改变方法，从调查情形入手，于是熟悉了盘陀路，拆散了李家庄、扈家庄和祝家庄的联盟，并且布置了藏在敌人营盘里的伏兵，用了和外国故事中所说木马计[15]相像的方法，第三次就打了胜仗。《水浒传》上有很多唯物辩证法的事例，这个三打祝家庄，算是最好的一个。列宁说："要真正地认识对象，就必须把握和研究它的一切方面、一切联系和'媒介'。我们决不会完全地作到这一点，可是要求全面性，将使我们防止错误，防止僵化。"[16]我们应该记得他的话。表面性，是对矛盾总体和矛盾各方的特点都不去看，否认深入事物里面精细地研究矛盾特点的必要，仅仅站在那里远远地望一望，粗枝大叶地看到一点矛盾的形相，就想动手去解决矛盾（答复问题、解决纠纷、处理工作、指挥战争）。这样的做法，没有不出乱子的。中国的教条主义和经验主义的同志们所以犯错误，就是因为他们看事物的方法是主观的、片面的和表面的。片面性、表面性也是主观性，因为一切客观事物本来是互相联系的和具有内部规律的，人们不去如实地反映这些情况，而只是片面地或表面地去看它们，不认识事物的互相联系，不认识事物的内部规律，所以这种方法是主观主义的。

不但事物发展的全过程中的矛盾运动，在其相互联结上，在其各方情况上，我们必须注意其特点，而且在过程发展的各个阶段中，也有其特点，也必须注意。

事物发展过程的根本矛盾及为此根本矛盾所规定的过程的本质，非到过程完结之日，是不会消灭的；但是事物发展的长过程中的各个发展的阶段，情形又往往互相区别。这是因为事物发展过程的根本矛盾的性质和过程的本质虽然没有变化，但是根本矛盾在长过程中的各个发展阶段上采取了逐渐激化的形式。并且，被根本矛盾所规定或影响的许多大小矛盾中，有些是激化了，有些是暂时地或局部地解决了，或者缓和了，又有些是发生了，因此，过程就显出阶段性来。如果人们不去注意事物发展过程中的阶段性，人们就不能适当地处理事物的矛盾。

例如，自由竞争时代的资本主义发展为帝国主义，这时，无产阶级和资产阶级这两个根本矛盾着的阶级的性质和这个社会的资本主义的本质，并没有变化；但是，两阶级的矛盾激化了，独占资本和自由资本之间的矛盾发生了，宗主国和殖民地的矛盾激化了，各资本主义国家间的矛盾即由各国发展不平衡的状态而引起的矛盾特别尖锐地表现出来了，因此形成了资本主义的特殊阶段，形成了帝国主义阶段。列宁主义之所以成为帝国主义和无产阶级革命时代的马克思主义，就是因为列宁和斯大林正确地说明了这些矛盾，并正确地作出了解决这些矛盾的无产阶级革命的理论和策略。

拿从辛亥革命[17]开始的中国资产阶级民主革命过程的情形来看，也有了若干特殊阶段。特别是在资产阶级领导时期的革命和在无产阶级领导时期的革命，区别为两个很大不同的历史阶段。这就是：由于无产阶级的领导，根本地改变了革命的面貌，引出了阶级关系的新调度，农民革命的大发动，反帝国主义和反封建主义的革命彻底性，由民主革命转变到社会主义革命的可能性，等等。所有这些，都是在资产阶级领导革命时期不可能出现的。虽然整个过程中根本矛盾的性质，过程之反帝反封建的民主革命的性质(其反面是半殖民地半封建的性质),并没有变化,但是,在这长时间中,经过了辛亥革命失败和北洋军阀统治,第一次民族统一战线的建立和一九二四年至一九二七年的革命,统一战线破裂和资产阶级转入反革命,新的军阀战争,土地革命战争,第二次民族统一战线建立和抗日战争等等大事变,二十多年间经过了几个发展阶段。在这些阶段中,包含着有些矛盾激化了(例如土地革命战争和日本侵入东北四省[18]),有些矛盾部分地或暂时地解决了(例如北洋军阀的被消灭,我们没收了地主的土地),有些矛盾重新发生了(例如新军阀之间的斗争,南方各革命根据地丧失后地主又重新收回土地)等等特殊的情形。

研究事物发展过程中的各个发展阶段上的矛盾的特殊性,不但必须在其联结上、在其总体上去看,而且必须从各个阶段中矛盾的各个方面去看。

例如国共两党。国民党方面,在第一次统一战线时期,因为它实行了孙中山的联俄、联共、援助工农的三大政策,所以它是革命的、有朝气的,它是各阶级的民主革命的联盟。一九二七年以后,国民党变到了与此相反的方面,成了地主和大资产阶级的反动集团。一九三六年十二月西安事变[19]后又开始向停止内战、联合共产党共同反对日本帝国主义这个方面转变。这就是国民党在三个阶段上的特点。形成这些特点,当然有种种的原因。中国共产党方面,在第一次统一战线时期,它是幼年的党,它英勇地领导了一九二四年至一九二七年的革命;但在对于革命的性质、任务和方法的认识方面,却表现了它的幼年性,因此在这次革命的后期所发生的陈独秀主义[20]能够起作用,使这次革命遭受了失败。一九二七年以后,它又英勇地领导了土地革命战争,创立了革命的军队和革命的根据地,但是它也犯过冒险主义的错误,使军队和根据地都受了很大的损失。一九三五年以后,它又纠正了冒险主义的错误,领导了新的抗日的统一战线,这个伟大的斗争现在正在发展。在这个阶段上,共产党是一个经过了两次革命的考验、有了丰富的经验的党。这些就是中国共产党在三个阶段上的特点。形成这些特点也有种种的原因。不研究这些特点,就不能了解两党在各个发展阶段上的特殊的相互关系:统一战线的建立,统一战线的破裂,再一个统一战线的建立。而要研究两党的种种特点,更根本的就必须研究这两党的阶级基础以及因此在各个时期所形成的它们和其他方面的矛盾的对立。例如,国民党在它第一次联合共产党的时期,一方面有和国外帝国主义的矛盾,因而它反对帝国主义;另一方面有和国内人民大众的矛盾,它在口头上虽然允许给予劳动人民以许多的利益,但在实际上则只给予很少的利益,或者简直什么也不给。在它进行反共战争的时期,则和帝国主义、封建主义合作反对人民大众,一笔勾销了人民大众原来在革命中所争得的一切利益,激化了它和人民大众的矛盾。现在抗日时期,国民党和日本帝国主义有矛盾,它一面要联合共产党,同时它对共产党和国内人民并不放松其斗争和压迫。共产党则无论在哪一时期,均和人民大众站在一道,反对帝国主义和封建主义;但在现在的抗日时期,由于国民党表示抗日,它对国民党和国内封建势力,也就采取了缓和的政策。由于这些情况,所以或者造成了两党的联合,或者造成了两党的斗争,而且即使在两党联合的时期也有又联合又斗争的复杂的情况。如果我们不去研究这些矛盾方面的特点，我们就不但不能了解这两个党各各和其他方面的关系，也不能了解两党之间的相互关系。

由此看来，不论研究何种矛盾的特性——各个物质运动形式的矛盾，各个运动形式在各个发展过程中的矛盾，各个发展过程的矛盾的各方面，各个发展过程在其各个发展阶段上的矛盾以及各个发展阶段上的矛盾的各方面，研究所有这些矛盾的特性，都不能带主观随意性，必须对它们实行具体的分析。离开具体的分析，就不能认识任何矛盾的特性。我们必须时刻记得列宁的话：对于具体的事物作具体的分析。

这种具体的分析，马克思、恩格斯首先给了我们以很好的模范。

当马克思、恩格斯把这事物矛盾的法则应用到社会历史过程的研究的时候，他们看出生产力和生产关系之间的矛盾，看出剥削阶级和被剥削阶级之间的矛盾以及由于这些矛盾所产生的经济基础和政治及思想等上层建筑之间的矛盾，而这些矛盾如何不可避免地会在各种不同的阶级社会中，引出各种不同的社会革命。

马克思把这一法则应用到资本主义社会经济结构的研究的时候，他看出这一社会的基本矛盾在于生产的社会性和占有制的私人性之间的矛盾。这个矛盾表现于在各别企业中的生产的有组织性和在全社会中的生产的无组织性之间的矛盾。这个矛盾的阶级表现则是资产阶级和无产阶级之间的矛盾。

由于事物范围的极其广大，发展的无限性，所以，在一定场合为普遍性的东西，而在另一一定场合则变为特殊性。反之，在一定场合为特殊性的东西，而在另一一定场合则变为普遍性。

资本主义制度所包含的生产社会化和生产资料私人占有制的矛盾,是所有有资本主义的存在和发展的各国所共有的东西,对于资本主义说来,这是矛盾的普遍性。但是资本主义的这种矛盾,乃是一般阶级社会发展在一定历史阶段上的东西,对于一般阶级社会中的生产力和生产关系的矛盾说来,这是矛盾的特殊性。然而,当着马克思把资本主义社会这一切矛盾的特殊性解剖出来之后,同时也就更进一步地、更充分地、更完全地把一般阶级社会中这个生产力和生产关系的矛盾的普遍性阐发出来了。

由于特殊的事物是和普遍的事物联结的,由于每一个事物内部不但包含了矛盾的特殊性,而且包含了矛盾的普遍性,普遍性即存在于特殊性之中,所以,当着我们研究一定事物的时候,就应当去发现这两方面及其互相联结,发现一事物内部的特殊性和普遍性的两方面及其互相联结,发现一事物和它以外的许多事物的互相联结。斯大林在他的名著《论列宁主义基础》一书中说明列宁主义的历史根源的时候,他分析了列宁主义所由产生的国际环境,分析了在帝国主义条件下已经发展到极点的资本主义的诸矛盾,以及这些矛盾使无产阶级革命成为直接实践的问题,并造成了直接冲击资本主义的良好的条件。不但如此,他又分析了为什么俄国成为列宁主义的策源地,分析了沙皇俄国当时是帝国主义一切矛盾的集合点以及俄国无产阶级所以能够成为国际的革命无产阶级的先锋队的原因。这样,斯大林分析了帝国主义的矛盾的普遍性,说明列宁主义是帝国主义和无产阶级革命时代的马克思主义;又分析了沙俄帝国主义在这一般矛盾中所具有的特殊性,说明俄国成了无产阶级革命理论和策略的故乡,而在这种特殊性中间就包含了矛盾的普遍性。

斯大林的这种分析，给我们提供了认识矛盾的特殊性和普遍性及其互相联结的模范。

马克思和恩格斯，同样地列宁和斯大林，他们对于应用辩证法到客观现象的研究的时候，总是指导人们不要带上任何的主观随意性，而必须从客观的实际运动所包含的具体的条件，去看出这些现象中的具体的矛盾、矛盾各方面的具体的地位以及矛盾的具体的相互关系。我们的教条主义者因为没有这种研究态度，所以弄得一无是处。我们必须以教条主义的失败为鉴戒，学会这种研究态度，舍此没有第二种研究法。

矛盾的普遍性和矛盾的特殊性的关系，就是矛盾的共性和个性的关系。其共性是矛盾存在于一切过程中，并贯串于一切过程的始终，矛盾即是运动，即是事物，即是过程，也即是思想。否认事物的矛盾就是否认了一切。这是共通的道理，古今中外，概莫能外。所以它是共性，是绝对性。然而这种共性，即包含于一切个性之中，无个性即无共性。假如除去一切个性，还有什么共性呢？因为矛盾的各各特殊，所以造成了个性。一切个性都是有条件地暂时地存在的，所以是相对的。

这一共性个性、绝对相对的道理，是关于事物矛盾的问题的精髓，不懂得它，就等于抛弃了辩证法。

四　主要的矛盾和主要的矛盾方面

在矛盾特殊性的问题中，还有两种情形必须特别地提出来加以分析，这就是主要的矛盾和主要的矛盾方面。

在复杂的事物的发展过程中，有许多的矛盾存在，其中必有一种是主要的矛盾，由于它的存在和发展规定或影响着其他矛盾的存在和发展。

例如在资本主义社会中，无产阶级和资产阶级这两个矛盾着的力量是主要的矛盾；其他的矛盾力量，例如，残存的封建阶级和资产阶级的矛盾，农民小资产者和资产阶级的矛盾，无产阶级和农民小资产者的矛盾，自由资产阶级和垄断资产阶级的矛盾，资产阶级的民主主义和资产阶级的法西斯主义的矛盾，资本主义国家相互间的矛盾，帝国主义和殖民地的矛盾，以及其他的矛盾，都为这个主要的矛盾力量所规定、所影响。

半殖民地的国家如中国，其主要矛盾和非主要矛盾的关系呈现着复杂的情况。

当着帝国主义向这种国家举行侵略战争的时候，这种国家的内部各阶级，除开一些叛国分子以外，能够暂时地团结起来举行民族战争去反对帝国主义。这时，帝国主义和这种国家之间的矛盾成为主要的矛盾，而这种国家内部各阶级的一切矛盾（包括封建制度和人民大众之间这个主要矛盾在内），便都暂时地降到次要和服从的地位。中国一八四〇年的鸦片战争[21]，一八九四年的中日战争[22]，一九〇〇年的义和团战争[23]和目前的中日战争，都有这种情形。

然而在另一种情形之下，则矛盾的地位起了变化。当着帝国主义不是用战争压迫而是用政治、经济、文化等比较温和的形式进行压迫的时候，半殖民地国家的统治阶级就会向帝国主义投降，二者结成同盟，共同压迫人民大众。这种时候，人民大众往往采取国内战争的形式，去反对帝国主义和封建阶级的同盟，而帝国主义则往往采取间接的方式去援助半殖民地国家的反动派压迫人民，而不采取直接行动，显出了内部矛盾的特别尖锐性。中国的辛亥革命战争，一九二四年至一九二七年的革命战争，一九二七年以后的十年土地革命战争，都有这种情形。还有半殖民地国家各个反动的统治集团之间的内战，例如在中国的军阀战争，也属于这一类。

当着国内革命战争发展到从根本上威胁帝国主义及其走狗国内反动派的存在的时候，帝国主义就往往采取上述方法以外的方法，企图维持其统治：或者分化革命阵线的内部，或者直接出兵援助国内反动派。这时，外国帝国主义和国内反动派完全公开地站在一个极端，人民大众则站在另一极端，成为一个主要矛盾，而规定或影响其他矛盾的发展状态。十月革命后各资本主义国家援助俄国反动派，是武装干涉的例子。一九二七年的蒋介石的叛变，是分化革命阵线的例子。

然而不管怎样，过程发展的各个阶段中，只有一种主要的矛盾起着领导的作用，是完全没有疑义的。

由此可知，任何过程如果有多数矛盾存在的话，其中必定有一种是主要的，起着领导的、决定的作用，其他则处于次要和服从的地位。因此，研究任何过程，如果是存在着两个以上矛盾的复杂过程的话，就要用全力找出它的主要矛盾。捉住了这个主要矛盾，一切问题就迎刃而解了。这是马克思研究资本主义社会告诉我们的方法。列宁和斯大林研究帝国主义和资本主义总危机的时候，列宁和斯大林研究苏联经济的时候，也告诉了这种方法。万千的学问家和实行家，不懂得这种方法，结果如堕烟海，找不到中心，也就找不到解决矛盾的方法。

不能把过程中所有的矛盾平均看待，必须把它们区别为主要的和次要的两类，着重于捉住主要的矛盾，已如上述。但是在各种矛盾之中，不论是主要的或次要的，矛盾着的两个方面，又是否可以平均看待呢？也是不可以的。无论什么矛盾，矛盾的诸方面，其发展是不平衡的。有时候似乎势均力敌，然而这只是暂时的和相对的情形，基本的形态则是不平衡。矛盾着的两方面中，必有一方面是主要的，他方面是次要的。其主要的方面，即所谓矛盾起主导作用的方面。事物的性质，主要地是由取得支配地位的矛盾的主要方面所规定的。

然而这种情形不是固定的，矛盾的主要和非主要的方面互相转化着，事物的性质也就随着起变化。在矛盾发展的一定过程或一定阶段上，主要方面属于甲方，非主要方面属于乙方；到了另一发展阶段或另一发展过程时，就互易其位置，这是依靠事物发展中矛盾双方斗争的力量的增减程度来决定的。

我们常常说"新陈代谢"这句话。新陈代谢是宇宙间普遍的永远不可抵抗的规律。依事物本身的性质和条件，经过不同的飞跃形式，一事物转化为他事物，就是新陈代谢的过程。任何事物的内部都有其新旧两个方面的矛盾，形成为一系列的曲折的斗争。斗争的结果，新的方面由小变大，上升为支配的东西；旧的方面则由大变小，变成逐步归于灭亡的东西。而一当新的方面对于旧的方面取得支配地位的时候，旧事物的性质就变化为新事物的性质。由此可见，事物的性质主要地是由取得支配地位的矛盾的主要方面所规定的。取得支配地位的矛盾的主要方面起了变化，事物的性质也就随着起变化。

在资本主义社会中，资本主义已从旧的封建主义社会时代的附庸地位，转化成了取得支配地位的力量，社会的性质也就由封建主义的变为资本主义的。在新的资本主义社会时代，封建势力则由原来处在支配地位的力量转化为附庸的力量，随着也就逐步地归于消灭了，例如英法诸国就是如此。随着生产力的发展，资产阶级由新的起进步作用的阶级，转化为旧的起反动作用的阶级，以至于最后被无产阶级所推翻，而转化为私有的生产资料被剥夺和失去权力的阶级，这个阶级也就要逐步归于消灭了。人数比资产阶级多得多、并和资产阶级同时生长、但被资产阶级统治着的无产阶级，是一个新的力量，它由初期的附属于资产阶级的地位，逐步地壮大起来，成为独立的和在历史上起主导作用的阶级，以至最后夺取政权成为统治阶级。这时，社会的性质，就由旧的资本主义的社会转化成了新的社会主义的社会。这就是苏联已经走过和一切其他国家必然要走的道路。

就中国的情形来说，帝国主义处在形成半殖民地这种矛盾的主要地位，压迫中国人民，中国则由独立国变为半殖民地。然而事情必然会变化，在双方斗争的局势中，中国人民在无产阶级领导之下所生长起来的力量必然会把中国由半殖民地变为独立国，而帝国主义则将被打倒，旧中国必然要变为新中国。

旧中国变为新中国，还包含着国内旧的封建势力和新的人民势力之间的情况的变化。旧的封建地主阶级将被打倒，由统治者变为被统治者，这个阶级也就会要逐步归于消灭。人民则将在无产阶级领导之下，由被统治者变为统治者。这时，中国社会的性质就会起变化，由旧的半殖民地和半封建的社会变为新的民主的社会。

这种互相转化的事情，过去已有经验。统治中国将近三百年的清朝帝国，曾在辛亥革命时期被打倒；而孙中山领导的革命同盟会，则曾经一度取得了胜利。在一九二四年至一九二七年的革命战争中，共产党和国民党联合的南方革命势力，曾经由弱小的力量变得强大起来，取得了北伐的胜利；而称雄一时的北洋军阀则被打倒了。一九二七年，共产党领导的人民力量，受了国民党反动势力的打击，变得很小了；但因肃清了自己内部的机会主义，就又逐步地壮大起来。在共产党领导的革命根据地内，农民由被统治者转化为统治者，地主则作了相反的转化。世界上总是这样以新的代替旧的，总是这样新陈代谢、除旧布新或推陈出新的。

革命斗争中的某些时候，困难条件超过顺利条件，在这种时候，困难是矛盾的主要方面，顺利是其次要方面。然而由于革命党人的努力，能够逐步地克服困难，开展顺利的新局面，困难的局面让位于顺利的局面。一九二七年中国革命失败后的情形，中国红军在长征[24]中的情形，都是如此。现在的中日战争，中国又处在困难地位，但是我们能够改变这种情况，使中日双方的情况发生根本的变化。在相反的情形之下，顺利也能转化为困难，如果是革命党人犯了错误的话。一九二四年至一九二七年的革命的胜利，变为失败了。一九二七年以后在南方各省发展起来的革命根据地，至一九三四年都失败了。

研究学问的时候，由不知到知的矛盾也是如此。当着我们刚才开始研究马克思主义的时候，对于马克思主义的无知或知之不多的情况，和马克思主义的知识之间，互相矛盾着。然而由于努力学习，可以由无知转化为有知，由知之不多转化为知之甚多，由对于马克思主义的盲目性改变为能够自由运用马克思主义。

有人觉得有些矛盾并不是这样。例如,生产力和生产关系的矛盾,生产力是主要的;理论和实践的矛盾,实践是主要的;经济基础和上层建筑的矛盾,经济基础是主要的:它们的地位并不互相转化。这是机械唯物论的见解,不是辩证唯物论的见解。诚然,生产力、实践、经济基础,一般地表现为主要的决定的作用,谁不承认这一点,谁就不是唯物论者。然而,生产关系、理论、上层建筑这些方面,在一定条件之下,又转过来表现其为主要的决定的作用,这也是必须承认的。当着不变更生产关系,生产力就不能发展的时候,生产关系的变更就起了主要的决定的作用。当着如同列宁所说"没有革命的理论,就不会有革命的运动"㉕的时候,革命理论的创立和提倡就起了主要的决定的作用。当着某一件事情(任何事情都是一样)要做,但是还没有方针、方法、计划或政策的时候,确定方针、方法、计划或政策,也就是主要的决定的东西。当着政治文化等等上层建筑阻碍着经济基础的发展的时候,对于政治上和文化上的革新就成为主要的决定的东西了。我们这样说,是否违反了唯物论呢?没有。因为我们承认总的历史发展中是物质的东西决定精神的东西,是社会的存在决定社会的意识;但是同时又承认而且必须承认精神的东西的反作用,社会意识对于社会存在的反作用,上层建筑对于经济基础的反作用。这不是违反唯物论,正是避免了机械唯物论,坚持了辩证唯物论。

在研究矛盾特殊性的问题中,如果不研究过程中主要的矛盾和非主要的矛盾以及矛盾之主要的方面和非主要的方面这两种情形,也就是说不研究这两种矛盾情况的差别性,那就将陷入抽象的研究,不能具体地懂得矛盾的情况,因而也就不能找出解决矛盾的正确的方法。这两种矛盾情况的差别性或特殊性，都是矛盾力量的不平衡性。世界上没有绝对地平衡发展的东西，我们必须反对平衡论，或均衡论。同时，这种具体的矛盾状况，以及矛盾的主要方面和非主要方面在发展过程中的变化，正是表现出新事物代替旧事物的力量。对于矛盾的各种不平衡情况的研究，对于主要的矛盾和非主要的矛盾、主要的矛盾方面和非主要的矛盾方面的研究，成为革命政党正确地决定其政治上和军事上的战略战术方针的重要方法之一，是一切共产党人都应当注意的。

五　矛盾诸方面的同一性和斗争性

在懂得了矛盾的普遍性和特殊性的问题之后，我们必须进而研究矛盾诸方面的同一性和斗争性的问题。

同一性、统一性、一致性、互相渗透、互相贯通、互相依赖（或依存）、互相联结或互相合作，这些不同的名词都是一个意思，说的是如下两种情形：第一、事物发展过程中的每一种矛盾的两个方面，各以和它对立着的方面为自己存在的前提，双方共处于一个统一体中；第二、矛盾着的双方，依据一定的条件，各向着其相反的方面转化。这些就是所谓同一性。

列宁说："辩证法是这样的一种学说：它研究对立怎样能够是同一的，又怎样成为同一的（怎样变成同一的），——在怎样的条件之下它们互相转化，成为同一的，——为什么人的头脑不应当把这些对立看作死的、凝固的东西，而应当看作生动的、有条件的、可变动的、互相转化的东西。"[26]

列宁这段话是什么意思呢?

一切过程中矛盾着的各方面,本来是互相排斥、互相斗争、互相对立的。世界上一切事物的过程里和人们的思想里,都包含着这样带矛盾性的方面,无一例外。单纯的过程只有一对矛盾,复杂的过程则有一对以上的矛盾。各对矛盾之间,又互相成为矛盾。这样地组成客观世界的一切事物和人们的思想,并推使它们发生运动。

如此说来,只是极不同一,极不统一,怎样又说是同一或统一呢?

原来矛盾着的各方面,不能孤立地存在。假如没有和它作对的矛盾的一方,它自己这一方就失去了存在的条件。试想一切矛盾着的事物或人们心中矛盾着的概念,任何一方面能够独立地存在吗?没有生,死就不见;没有死,生也不见。没有上,无所谓下;没有下,也无所谓上。没有祸,无所谓福;没有福,也无所谓祸。没有顺利,无所谓困难;没有困难,也无所谓顺利。没有地主,就没有佃农;没有佃农,也就没有地主。没有资产阶级,就没有无产阶级;没有无产阶级,也就没有资产阶级。没有帝国主义的民族压迫,就没有殖民地和半殖民地;没有殖民地和半殖民地,也就没有帝国主义的民族压迫。一切对立的成分都是这样,因一定的条件,一面互相对立,一面又互相联结、互相贯通、互相渗透、互相依赖,这种性质,叫做同一性。一切矛盾着的方面都因一定条件具备着不同一性,所以称为矛盾。然而又具备着同一性,所以互相联结。列宁所谓辩证法研究"对立怎样能够是同一的",就是说的这种情形。怎样能够呢?因为互为存在的条件。这是同一性的第一种意义。

然而单说了矛盾双方互为存在的条件，双方之间有同一性，因而能够共处于一个统一体中，这样就够了吗？还不够。事情不是矛盾双方互相依存就完了，更重要的，还在于矛盾着的事物的互相转化。这就是说，事物内部矛盾着的两方面，因为一定的条件而各向着和自己相反的方面转化了去，向着它的对立方面所处的地位转化了去。这就是矛盾的同一性的第二种意义。

为什么这里也有同一性呢？你们看，被统治的无产阶级经过革命转化为统治者，原来是统治者的资产阶级却转化为被统治者，转化到对方原来所占的地位。苏联已经是这样做了，全世界也将要这样做。试问其间没有在一定条件之下的联系和同一性，如何能够发生这样的变化呢？

曾在中国近代历史的一定阶段上起过某种积极作用的国民党，因为它的固有的阶级性和帝国主义的引诱（这些就是条件），在一九二七年以后转化为反革命，又由于中日矛盾的尖锐化和共产党的统一战线政策（这些就是条件），而被迫着赞成抗日。矛盾着的东西这一个变到那一个，其间包含了一定的同一性。

我们实行过的土地革命，已经是并且还将是这样的过程，拥有土地的地主阶级转化为失掉土地的阶级，而曾经是失掉土地的农民却转化为取得土地的小私有者。有无、得失之间，因一定条件而互相联结，二者具有同一性。在社会主义条件之下，农民的私有制又将转化为社会主义农业的公有制，苏联已经这样做了，全世界将来也会这样做。私产和公产之间有一条由此达彼的桥梁，哲学上名之曰同一性，或互相转化、互相渗透。

巩固无产阶级的专政或人民的专政，正是准备着取消这种专政，走到消灭任何国家制度的更高阶段去的条件。建立和发展共产党，正是准备着消灭共产党和一切政党制度的条件。建立共产党领导的革命军，进行革命战争，正是准备着永远消灭战争的条件。这许多相反的东西，同时却是相成的东西。

大家知道，战争与和平是互相转化的。战争转化为和平，例如第一次世界大战转化为战后的和平，中国的内战现在也停止了，出现了国内的和平。和平转化为战争，例如一九二七年的国共合作转化为战争，现在的世界和平局面也可能转化为第二次世界大战。为什么是这样？因为在阶级社会中战争与和平这样矛盾着的事物，在一定条件下具备着同一性。

一切矛盾着的东西，互相联系着，不但在一定条件之下共处于一个统一体中，而且在一定条件之下互相转化，这就是矛盾的同一性的全部意义。列宁所谓"怎样成为同一的（怎样变成同一的），——在怎样的条件之下它们互相转化，成为同一的"，就是这个意思。

"为什么人的头脑不应当把这些对立看作死的、凝固的东西，而应当看作生动的、有条件的、可变动的、互相转化的东西"呢？因为客观事物本来是如此的。客观事物中矛盾着的诸方面的统一或同一性，本来不是死的、凝固的，而是生动的、有条件的、可变动的、暂时的、相对的东西，一切矛盾都依一定条件向它们的反面转化着。这种情况，反映在人们的思想里，就成了马克思主义的唯物辩证法的宇宙观。只有现在的和历史上的反动的统治阶级以及为他们服务的形而上学，不是把对立的事物当作生动的、有条件的、可变动的、互相转化的东西去看，而是当作死的、凝固的东西去看，并且把这种错误的看法到处宣传，迷惑人民群众,以达其继续统治的目的。共产党人的任务就在于揭露反动派和形而上学的错误思想,宣传事物的本来的辩证法,促成事物的转化,达到革命的目的。

所谓矛盾在一定条件下的同一性,就是说,我们所说的矛盾乃是现实的矛盾,具体的矛盾,而矛盾的互相转化也是现实的、具体的。神话中的许多变化,例如《山海经》中所说的“夸父追日”[27],《淮南子》中所说的“羿射九日”[28],《西游记》中所说的孙悟空七十二变[29]和《聊斋志异》[30]中的许多鬼狐变人的故事等等,这种神话中所说的矛盾的互相变化,乃是无数复杂的现实矛盾的互相变化对于人们所引起的一种幼稚的、想象的、主观幻想的变化,并不是具体的矛盾所表现出来的具体的变化。马克思说:“任何神话都是用想象和借助想象以征服自然力,支配自然力,把自然力加以形象化;因而,随着这些自然力之实际上被支配,神话也就消失了。”[31]这种神话中的(还有童话中的)千变万化的故事,虽然因为它们想象出人们征服自然力等等,而能够吸引人们的喜欢,并且最好的神话具有“永久的魅力”[32](马克思),但神话并不是根据具体的矛盾之一定的条件而构成的,所以它们并不是现实之科学的反映。这就是说,神话或童话中矛盾构成的诸方面,并不是具体的同一性,只是幻想的同一性。科学地反映现实变化的同一性的,就是马克思主义的辩证法。

为什么鸡蛋能够转化为鸡子,而石头不能够转化为鸡子呢?为什么战争与和平有同一性,而战争与石头却没有同一性呢?为什么人能生人不能生出其他的东西呢?没有别的,就是因为矛盾的同一性要在一定的必要的条件之下。缺乏一定的必要的条件,就没有任何的同一性。

为什么俄国在一九一七年二月的资产阶级民主革命和同年十月的无产阶级社会主义革命直接地联系着,而法国资产阶级革命没有直接地联系于社会主义的革命,一八七一年的巴黎公社终于失败了呢?为什么蒙古和中亚细亚的游牧制度又直接地和社会主义联系了呢?为什么中国的革命可以避免资本主义的前途,可以和社会主义直接联系起来,不要再走西方国家的历史老路,不要经过一个资产阶级专政的时期呢?没有别的,都是由于当时的具体条件。一定的必要的条件具备了,事物发展的过程就发生一定的矛盾,而且这种或这些矛盾互相依存,又互相转化,否则,一切都不可能。

同一性的问题如此。那末,什么是斗争性呢?同一性和斗争性的关系是怎样的呢?

列宁说:"对立的统一(一致、同一、合一),是有条件的、一时的、暂存的、相对的。互相排斥的对立的斗争则是绝对的,正如发展、运动是绝对的一样。"[33]

列宁这段话是什么意思呢?

一切过程都有始有终,一切过程都转化为它们的对立物。一切过程的常住性是相对的,但是一种过程转化为他种过程的这种变动性则是绝对的。

无论什么事物的运动都采取两种状态,相对地静止的状态和显著地变动的状态。两种状态的运动都是由事物内部包含的两个矛盾着的因素互相斗争所引起的。当着事物的运动在第一种状态的时候,它只有数量的变化,没有性质的变化,所以显出好似静止的面貌。当着事物的运动在第二种状态的时候,它已由第一种状态中的数量的变化达到了某一个最高点，引起了统一物的分解，发生了性质的变化，所以显出显著地变化的面貌。我们在日常生活中所看见的统一、团结、联合、调和、均势、相持、僵局、静止、有常、平衡、凝聚、吸引等等，都是事物处在量变状态中所显现的面貌。而统一物的分解，团结、联合、调和、均势、相持、僵局、静止、有常、平衡、凝聚、吸引等等状态的破坏，变到相反的状态，便都是事物在质变状态中、在一种过程过渡到他种过程的变化中所显现的面貌。事物总是不断地由第一种状态转化为第二种状态，而矛盾的斗争则存在于两种状态中，并经过第二种状态而达到矛盾的解决。所以说，对立的统一是有条件的、暂时的、相对的，而对立的互相排除的斗争则是绝对的。

前面我们曾经说，两个相反的东西中间有同一性，所以二者能够共处于一个统一体中，又能够互相转化，这是说的条件性，即是说在一定条件之下，矛盾的东西能够统一起来，又能够互相转化；无此一定条件，就不能成为矛盾，不能共居，也不能转化。由于一定的条件才构成了矛盾的同一性，所以说同一性是有条件的、相对的。这里我们又说，矛盾的斗争贯串于过程的始终，并使一过程向着他过程转化，矛盾的斗争无所不在，所以说矛盾的斗争性是无条件的、绝对的。

有条件的相对的同一性和无条件的绝对的斗争性相结合，构成了一切事物的矛盾运动。

我们中国人常说："相反相成。"[34]就是说相反的东西有同一性。这句话是辩证法的，是违反形而上学的。"相反"就是说两个矛盾方面的互相排斥，或互相斗争。"相成"就是说在一定条件之下两个矛盾方面互相联结起来，获得了同一性。而斗争性即寓于同一性之中，没有斗争性就没有同一性。

在同一性中存在着斗争性，在特殊性中存在着普遍性，在个性中存在着共性。拿列宁的话来说，叫做“在相对的东西里面有着绝对的东西”[35]。

六　对抗在矛盾中的地位

在矛盾的斗争性的问题中，包含着对抗是什么的问题。我们回答道：对抗是矛盾斗争的一种形式，而不是矛盾斗争的一切形式。

在人类历史中，存在着阶级的对抗，这是矛盾斗争的一种特殊的表现。剥削阶级和被剥削阶级之间的矛盾，无论在奴隶社会也好，封建社会也好，资本主义社会也好，互相矛盾着的两阶级，长期地并存于一个社会中，它们互相斗争着，但要待两阶级的矛盾发展到了一定的阶段的时候，双方才取外部对抗的形式，发展为革命。阶级社会中，由和平向战争的转化，也是如此。

炸弹在未爆炸的时候，是矛盾物因一定条件共居于一个统一体中的时候。待至新的条件（发火）出现，才发生了爆炸。自然界中一切到了最后要采取外部冲突形式去解决旧矛盾产生新事物的现象，都有与此相仿佛的情形。

认识这种情形，极为重要。它使我们懂得，在阶级社会中，革命和革命战争是不可避免的，舍此不能完成社会发展的飞跃，不能推翻反动的统治阶级，而使人民获得政权。共产党人必须揭露反动派所谓社会革命是不必要的和不可能的等等欺骗的宣传，坚持马克思列宁主义的社会革命论，使人民懂得，这不但是完全必要的,而且是完全可能的,整个人类的历史和苏联的胜利,都证明了这个科学的真理。

但是我们必须具体地研究各种矛盾斗争的情况,不应当将上面所说的公式不适当地套在一切事物的身上。矛盾和斗争是普遍的、绝对的,但是解决矛盾的方法,即斗争的形式,则因矛盾的性质不同而不相同。有些矛盾具有公开的对抗性,有些矛盾则不是这样。根据事物的具体发展,有些矛盾是由原来还非对抗性的,而发展成为对抗性的;也有些矛盾则由原来是对抗性的,而发展成为非对抗性的。

共产党内正确思想和错误思想的矛盾,如前所说,在阶级存在的时候,这是阶级矛盾对于党内的反映。这种矛盾,在开始的时候,或在个别的问题上,并不一定马上表现为对抗性的。但随着阶级斗争的发展,这种矛盾也就可能发展为对抗性的。苏联共产党的历史告诉我们:列宁、斯大林的正确思想和托洛茨基、布哈林等人的错误思想的矛盾,在开始的时候还没有表现为对抗的形式,但随后就发展为对抗的了。中国共产党的历史也有过这样的情形。我们党内许多同志的正确思想和陈独秀、张国焘[36]等人的错误思想的矛盾,在开始的时候也没有表现为对抗的形式,但随后就发展为对抗的了。目前我们党内的正确思想和错误思想的矛盾,没有表现为对抗的形式,如果犯错误的同志能够改正自己的错误,那就不会发展为对抗性的东西。因此,党一方面必须对于错误思想进行严肃的斗争,另方面又必须充分地给犯错误的同志留有自己觉悟的机会。在这样的情况下,过火的斗争,显然是不适当的。但如果犯错误的人坚持错误,并扩大下去,这种矛盾也就存在着发展为对抗性的东西的可能性。

经济上城市和乡村的矛盾，在资本主义社会里面（那里资产阶级统治的城市残酷地掠夺乡村），在中国的国民党统治区域里面（那里外国帝国主义和本国买办大资产阶级所统治的城市极野蛮地掠夺乡村），那是极其对抗的矛盾。但在社会主义国家里面，在我们的革命根据地里面，这种对抗的矛盾就变为非对抗的矛盾，而当到达共产主义社会的时候，这种矛盾就会消灭。

列宁说："对抗和矛盾断然不同。在社会主义下，对抗消灭了，矛盾存在着。"[37]这就是说，对抗只是矛盾斗争的一种形式，而不是它的一切形式，不能到处套用这个公式。

七 结 论

说到这里，我们可以总起来说几句。事物矛盾的法则，即对立统一的法则，是自然和社会的根本法则，因而也是思维的根本法则。它是和形而上学的宇宙观相反的。它对于人类的认识史是一个大革命。按照辩证唯物论的观点看来，矛盾存在于一切客观事物和主观思维的过程中，矛盾贯串于一切过程的始终，这是矛盾的普遍性和绝对性。矛盾着的事物及其每一个侧面各有其特点，这是矛盾的特殊性和相对性。矛盾着的事物依一定的条件有同一性，因此能够共居于一个统一体中，又能够互相转化到相反的方面去，这又是矛盾的特殊性和相对性。然而矛盾的斗争则是不断的，不管在它们共居的时候，或者在它们互相转化的时候，都有斗争的存在，尤其是在它们互相转化的时候，斗争的表现更为显著，这又是矛盾的普遍性和绝对性。当着我们研究矛盾的特殊性和相对性的时候，要注意矛盾和矛盾方面的主要的和非主要的区别；当着我们研究矛盾的普遍性和斗争性的时候，要注意矛盾的各种不同的斗争形式的区别。否则就要犯错误。如果我们经过研究真正懂得了上述这些要点，我们就能够击破违反马克思列宁主义基本原则的不利于我们的革命事业的那些教条主义的思想；也能够使有经验的同志们整理自己的经验，使之带上原则性，而避免重复经验主义的错误。这些，就是我们研究矛盾法则的一些简单的结论。

注　释

① 见列宁《黑格尔〈哲学史讲演录〉一书摘要》（《列宁全集》第 55 卷，人民出版社 1990 年版，第 213 页）。

② 参见列宁《谈谈辩证法问题》："统一物之分为两个部分以及对它的矛盾着的部分的认识……，是辩证法的实质（是辩证法的'本质'之一，是它的基本的特点或特征之一，甚至可说是它的基本的特点或特征）。"并参见《黑格尔〈逻辑学〉一书摘要》中关于"辩证法的要素"部分："可以把辩证法简要地规定为关于对立面的统一的学说。这样就会抓住辩证法的核心，可是这需要说明和发挥。"（《列宁全集》第 55 卷，人民出版社 1990 年版，第 305、192 页）

③ 德波林（一八八一——一九六三），苏联哲学家。一九二九年当选为苏联科学院院士。三十年代初，苏联哲学界发动对德波林学派的批判，认为他们犯了理论脱离实践、哲学脱离政治等唯心主义性质的错误。

④ 见列宁《谈谈辩证法问题》。新的译文是："有两种基本的（或两种可能的？或两种在历史上常见的？）发展（进化）观点：认为发展是减少和增加，是重复；以及认为发展是对立面的统一（统一物之分为两个互相排斥的对立面以及它们之间的相互关系）。"（《列宁全集》第 55 卷，人民出版社 1990 年版，第 306 页）

⑤ 见《汉书·董仲舒传》。董仲舒（公元前一七九——前一〇四）是孔子学派在西汉的主要代表，他曾经对汉武帝说："道之大原出于天，天不变，道亦不变。""道"是中国古代哲学家的通用语，它的意义是"道路"或"道理"，可作"法则"或"规律"解说。

⑥ 见恩格斯《反杜林论》第一编第十二节《辩证法。量和质》（《马克思恩格斯选集》第 3 卷，人民出版社 1972 年版，第 160 页）。

⑦ 见列宁《谈谈辩证法问题》。新的译文是:"承认(发现)自然界的(也包括精神的和社会的)一切现象和过程具有矛盾着的、相互排斥的、对立的倾向。"(《列宁全集》第55卷,人民出版社1990年版,第306页)

⑧ 以上所引恩格斯的三段话,均见恩格斯《反杜林论》第一编第十二节《辩证法。量和质》。其中第二段"高等数学的主要基础之一,就是矛盾……",《反杜林论》中的原文是:"我们已经提到,高等数学的主要基础之一是这样一个矛盾:在一定条件下直线和曲线应当是一回事。高等数学还有另一个矛盾:在我们眼前相交的线,只要离开交点五六厘米,就应当认为是平行的、即使无限延长也不会相交的线。可是,高等数学利用这些和其他一些更加尖锐的矛盾获得了不仅是正确的、而且是初等数学所完全不能达到的成果。"(《马克思恩格斯选集》第3卷,人民出版社1972年版,第160—161页)

⑨ 见列宁《谈谈辩证法问题》(《列宁全集》第55卷,人民出版社1990年版,第305—306页)。

⑩ 见列宁《谈谈辩证法问题》(《列宁全集》第55卷,人民出版社1990年版,第307页)。

⑪ 参见列宁《共产主义》。在该文中列宁批评匈牙利共产党员库恩·贝拉说:"他忽略了马克思主义的精髓,马克思主义的活的灵魂:对具体情况作具体分析。"(《列宁全集》第39卷,人民出版社1986年版,第128页)

⑫ 见《孙子·谋攻》。

⑬ 魏徵(五八〇——六四三),唐代初期的政治活动家和历史学家。本文引语见《资治通鉴》卷一百九十二。

⑭ 《水浒传》是中国描写农民战争的著名小说。宋江是这部小说中农民武装的主要领袖。祝家庄在农民武装根据地梁山泊的附近,这个庄的统治者祝朝奉,是一个大恶霸地主。

⑮ 木马计是希腊神话中的一个著名故事。据传说,古希腊人攻打特洛伊城,很久打不下来。后来,他们伪装撤退,在城下营房中留下了一匹腹内藏有一批勇士的大木马。特洛伊人不知道这是敌人的计策,把木马作为战利品拉进城去。深夜,勇士们走出木马,利用特洛伊人毫无戒备的时机,配合城外的军队,迅速地夺取了特洛伊城。

⑯ 见列宁《再论工会、目前局势及托洛茨基同志和布哈林同志的错误》。新的译文是:"要真正地认识事物,就必须把握住、研究清楚它的一切方面、一切联系和'中介'。我们永远也不会完全做到这一点,但是,全面性这一要求可以使我们防止犯错误和防止僵化。"(《列宁全集》第40卷,人民出版社1986年版,第291页)

⑰ 辛亥革命是以孙中山为首的资产阶级革命团体同盟会所领导的推翻

清朝专制王朝的革命。一九一一年(辛亥年)十月十日,革命党人发动新军在湖北武昌举行起义,接着各省响应,外国帝国主义所支持的清朝反动统治迅速瓦解。一九一二年一月在南京成立了中华民国临时政府,孙中山就任临时大总统。统治中国两千多年的君主专制制度从此结束,民主共和国的观念从此深入人心。但是资产阶级革命派力量很弱,并具有妥协性,没有能力发动广大人民的力量比较彻底地进行反帝反封建的革命。辛亥革命的成果迅即被北洋军阀袁世凯篡夺,中国仍然没有摆脱半殖民地、半封建的状态。

⑱ 东北四省指当时中国东北部的辽宁、吉林、黑龙江、热河四省(热河省于一九五五年撤销,原辖区分别划归河北、辽宁两省和内蒙古自治区)。一九三一年九一八事变后,日本侵略军先占领了辽宁、吉林、黑龙江三省,一九三三年又侵占热河省。

⑲ 以张学良为首的国民党东北军和以杨虎城为首的国民党第十七路军,因受中国红军和人民抗日运动的影响,同意中国共产党提出的建立抗日民族统一战线的主张,要求蒋介石联共抗日。蒋加以拒绝,而且更加倒行逆施,积极布置"剿共"军事,下令镇压西安学生的抗日爱国运动。一九三六年十二月十二日,张、杨发动西安事变,扣押了蒋介石。中国共产党坚决支持张、杨的爱国行动,同时主张在团结抗日的基础上和平解决这次事变。十二月二十四日,蒋介石被迫接受联共抗日的条件,随后被释放回南京。

⑳ 陈独秀(一八七九——一九四二),安徽怀宁人。五四新文化运动的主要领导人之一。五四运动后,接受和宣传马克思主义,是中国共产党的主要创建人之一。在党成立后的最初六年中是党的主要领导人。陈独秀右倾机会主义指一九二七年上半年以陈独秀为代表的右倾投降主义错误。当时他放弃对于农民群众、城市小资产阶级和中等资产阶级的领导权,尤其是放弃对于武装力量的领导权,主张一切联合,否认斗争,对国民党右派反共反人民的阴谋活动采取妥协投降的政策,以致当大地主大资产阶级的代表蒋介石、汪精卫先后背叛革命,向人民突然袭击的时候,中国共产党和广大革命人民不能组织有效的抵抗,使第一次国内革命战争遭到失败。同年八月七日,中共中央在汉口召开紧急会议,总结了大革命失败的经验教训,结束了陈独秀右倾投降主义在党中央的统治。其后,陈独秀对于革命前途悲观失望,接受托派观点,在党内成立小组织,进行反党活动,一九二九年十一月被开除出党。一九三二年十月被国民党政府逮捕,一九三七年八月出狱。一九四二年病故于四川江津。

㉑ 一八四〇年至一八四二年,英国因中国人反对输入鸦片,就借口保护通商,派兵侵略中国。中国军队在林则徐领导下曾经进行了抵抗。广州人民自发地组织武装抗英团体,使英国侵略军受到很大的打击。福建、浙江、江苏等地人民也自发地掀起了抗英斗争。一八四二年英国军队侵入长江,迫使腐朽的清

朝政府和英国侵略者签订中国近代史上的第一个不平等条约——《南京条约》。这个条约的主要内容是:中国割让香港,给英国大量赔款,开放上海、福州、厦门、宁波、广州为通商口岸,抽收英商进出口货物的税率由中英双方共同议定。

㉒ 一八九四年(甲午年)发生的中日战争,也称甲午战争。这次战争是日本军国主义者蓄意挑起的。日本军队先向朝鲜发动侵略并对中国的陆海军进行挑衅,继即大举侵入中国的东北。在战争中,中国军队曾经英勇作战,但是由于清朝政府的腐败以及缺乏坚决反对侵略的准备,中国方面遭到了失败。一八九五年,清朝政府和日本订立了可耻的马关条约,这个条约的主要内容是:中国割让台湾全岛及所有附属各岛屿、澎湖列岛和辽东半岛(后来在俄、德、法三国干涉下,日本同意由清政府偿付白银三千万两"赎还"该半岛),赔偿军费银二万万两,允许日本人在中国通商口岸开设工厂,开辟沙市、重庆、苏州、杭州等地为商埠。

㉓ 义和团战争是一九〇〇年发生在中国北部的反对帝国主义的武装斗争。参加这次战争的,有广大的农民、手工业者和其他群众,他们用宗教迷信互相联系,在秘密结社的基础上组织起来,对英、美、德、法、俄、日、意、奥的联合侵略军进行了英勇的斗争。八国的联合侵略军在占领天津、北京以后,极残酷地镇压了这个运动。

㉔ 一九三四年十月,中国工农红军第一、三、五、八、九军团(即中央红军,一九三五年六月与红四方面军会合时,恢复第一方面军的番号),中央和军委机关、直属部队编成的两个纵队,从江西瑞金等地出发,开始战略性的大转移。红军经过福建、江西、广东、湖南、广西、贵州、四川、云南、西康(现在分属四川省和西藏自治区)、甘肃、陕西等十一个省,走过终年积雪的高山,越过人迹罕至的沼泽草地,历尽艰苦,击溃敌人的多次围追堵截,长征两万余里,终于在一九三五年十月胜利地到达陕西北部的革命根据地。

㉕ 见列宁《俄国社会民主党人的任务》(《列宁全集》第2卷,人民出版社1984年版,第443页);并见列宁《怎么办?》第一章第四节(《列宁全集》第6卷,人民出版社1986年版,第23页)。

㉖ 见列宁《黑格尔〈逻辑学〉一书摘要》。新的译文是:"辩证法是一种学说,它研究对立面怎样才能够同一,是怎样(怎样成为)同一的——在什么条件下它们是相互转化而同一的,——为什么人的头脑不应该把这些对立面看作僵死的、凝固的东西,而应该看作活生生的、有条件的、活动的、彼此转化的东西。"(《列宁全集》第55卷,人民出版社1990年版,第90页)

㉗ 《山海经》是一部中国古代地理著作,其中记载了不少远古的神话传说。夸父是《山海经·海外北经》上记载的一个神人。据说:"夸父与日逐走。入日,渴欲得饮,饮于河渭。河渭不足,北饮大泽。未至,道渴而死。弃其杖,化为邓林。"

㉘ 羿是中国古代传说中的英雄，“射日”是关于他善射的著名故事。据西汉淮南王刘安（公元前二世纪人）及其门客所著《淮南子》一书说：“尧之时，十日并出，焦禾稼，杀草木，而民无所食。猰貐、凿齿、九婴、大风、封豨、修蛇，皆为民害。尧乃使羿……上射十日而下杀猰貐。……万民皆喜。”东汉著作家王逸（公元二世纪人）关于屈原诗篇《天问》的注释说：“淮南言，尧时十日并出，草木焦枯。尧命羿仰射十日，中其九日……留其一日。”

㉙ 《西游记》是明代作家吴承恩著的一部神话小说。孙悟空是书中的主角。他是一个神猴，有七十二变的法术，能够随意变成各式各样的鸟兽虫鱼草木器物或者人形。

㉚ 《聊斋志异》是清代文学家蒲松龄著的短篇小说集，大部分是叙述神仙狐鬼的故事。

㉛ 见马克思《〈政治经济学批判〉导言》（《马克思恩格斯选集》第 2 卷，人民出版社 1972 年版，第 113 页）。

㉜ 见马克思《〈政治经济学批判〉导言》（《马克思恩格斯选集》第 2 卷，人民出版社 1972 年版，第 114 页）。

㉝ 见列宁《谈谈辩证法问题》。新的译文是：“对立面的统一（一致、同一、均势）是有条件的、暂时的、易逝的、相对的。相互排斥的对立面的斗争是绝对的，正如发展、运动是绝对的一样。”（《列宁全集》第 55 卷，人民出版社 1990 年版，第 306 页）

㉞ 见东汉著名史学家班固（三二——九二）所著《汉书 · 艺文志》，原文是：“诸子十家，其可观者，九家而已。皆起于王道既微，诸侯力政，时君世主，好恶殊方。是以九家之术，蜂出并作，各引一端，崇其所善，以此驰说，取合诸侯。其言虽殊，辟犹水火，相灭亦相生也。仁之与义，敬之与和，相反而皆相成也。”

㉟ 见列宁《谈谈辩证法问题》。新的译文是：“相对中有绝对。”（《列宁全集》第 55 卷，人民出版社 1990 年版，第 307 页）

㊱ 张国焘（一八九七——一九七九），江西萍乡人。一九二一年参加中国共产党第一次全国代表大会。曾被选为中共中央委员、政治局委员、政治局常委。一九三一年任中共鄂豫皖中央分局书记、中华苏维埃共和国临时中央政府副主席等职。一九三五年六月红军第一、第四方面军在四川懋功（今小金）地区会师后任红军总政治委员。他反对中央关于红军北上的决定，进行分裂党和红军的活动，另立中央。一九三六年六月被迫取消第二中央，随后与红军第二、第四方面军一起北上，十二月到达陕北。一九三七年九月起，任陕甘宁边区政府副主席、代主席。一九三八年四月，他乘祭黄帝陵之机逃离陕甘宁边区，经西安到武汉，投入国民党特务集团，成为中国革命的叛徒，随即被开除出党。一九七九年死于加拿大。

㊲ 见列宁《在尼・布哈林〈过渡时期经济学〉一书上作的批注和评论》。新的译文是:"对抗和矛盾完全不是一回事。在社会主义下,对抗将会消失,矛盾仍将存在。"(《列宁全集》第60卷,人民出版社1990年版,第281—282页)

一、《实践论》《矛盾论》的历史背景

中国古人主张“知人论世”。孟子说:“颂其诗,读其书,不知其人可乎？是以论其世也。”①清代学者章学诚也说:“不知古人之世,不可妄论古人之辞也。知其世矣,不知古人之身处,亦不可以遽论其文也。”②我们要理解一个人的思想,就要了解这个人,而要了解这个人,就要了解他所处的社会、时代及其人生阅历。

任何真正的哲学都是自己时代精神的精华,不仅就其内容来说,而且就其表现来说,都要与自己所处时代的现实世界接触并相互作用。人民最精致、最珍贵和看不见的精髓都集中在哲学思想里。哲学既要反思和概括历史,又要反映和引领时代。它不仅是等到黄昏才起飞的密涅瓦的猫头鹰③,更应是高卢报

① 《孟子·万章下》。

② 章学诚:《文史通义·文德》。

③ 密涅瓦是古希腊罗马神话中的智慧女神雅典娜,在她身边栖息起落的猫头鹰是思想和理性的象征。德国古典哲学家黑格尔说,哲学就像密涅瓦的猫头鹰一样,它不是在旭日东升之时翱翔于蓝天里,而是在薄暮降临时才悄然起飞。旨在说明哲学是一种沉思的理性,是一种“反思”活动,是对“认识的认识”、对“思想的思想”。

晓的雄鸡[①]。我们学习哲学经典著作，也要了解其所产生的历史背景与时代特点。

《实践论》《矛盾论》是毛泽东在战争与革命时代，在中国新民主主义革命时期，为了反对主观主义特别是教条主义，确立党的马克思主义思想路线，从哲学高度总结历史经验、分析时局变化，以制定正确战略、引导中国革命走向胜利而写的。它反映了自己时代精神的精华，凝聚了中国革命的经验，适应了中国革命的需要，引领了中国革命的伟大历史进程。

（一）中国革命两起两落与发生错误的思想根源

中国共产党从诞生之日起，就运用马克思主义观察中国社会，探索革命道路，领导人民进行了英勇的斗争。但在中国这样一个半殖民地半封建的东方大国，各种矛盾错综复杂，经济政治发展极不平衡，要开创一条争取民族独立和人民解放的正确道路，是相当艰难的。从 1921 年中国共产党成立到 1935 年遵义会议前的十几年间，在党内相继发生了右倾错误、盲动错误、冒险错误和教条主义错误，中国革命也经历了两起两落，即工农民主运动的兴起（北伐战争的胜利）和大革命的失败以及土地革命运动的兴起和第五次反“围剿”的失败。中国共产党之所以屡犯错误，中国革命之所以屡遭挫折，其根本的原因，就是没有解决好思想路线问题，对于中国国情的认识不清醒，马克思主义

① 高卢雄鸡（Le Coq gaulois）：罗马帝国把今天法国所在的这个地方叫做高卢（Gallia），把高卢人叫做 Gallus，而 Gallus 在拉丁语里的另一个意思是公鸡。

基本原理同中国实际结合得不好。如果由于经验不足、知识不够会犯错误，但大的错误、全局性错误、根本性错误之所以发生，肯定是思想路线出了毛病。如果思想路线错了，政治路线、军事路线乃至组织路线就一定会出问题。毛泽东说："一切大的政治错误没有不是离开辩证唯物论的"①。中国的主观主义者"不从具体的现实出发，而从空虚的理论命题出发"，"不注意具体特点，妄把主观构成的东西当作特点"②。不具体分析事物发展的过程、阶段、条件、可能，用抽象、空洞的理论去指导实践。"左"的错误和右的错误虽然表现不同，但两极相通，二者都是主观主义的，都是主观与客观相分裂、理论与实践相脱离。主观主义的思想路线、思想方法，是一切"左"的和右的错误的总根源。

所谓思想路线，就是人们认识世界和改造世界、分析问题和解决问题的根本立场、基本观点、思维方式和价值取向，是世界观、方法论、价值观的统一体。思想路线不同，对于理论的态度、对于实际的认识、对于是非的判断、对于善恶的评价、对于战略的选择不同，因而实践的结果也就不同。思想路线正确与否，决定着事业的兴衰成败，决定着党的生死存亡。没有正确的思想路线，就不能实现马克思主义与中国实际相结合，不能制定和实施正确的战略策略，党就不能担负起领导人民前进的历史重任。为了防止"左"的和右的错误，实现马克思主义与中国实际相结合，就必须从世界观方法论的高度解决问题，确立一条实事求是

---

① 《毛泽东哲学批注集》，中央文献出版社 1988 年版，第 311—312 页。

② 《毛泽东哲学批注集》，中央文献出版社 1988 年版，第 9、432 页。

的马克思主义思想路线。

（二）反对本本主义，倡行调查研究

我们知道，中国是一个封建专制统治历史很长的国度，唯书唯上的经学思维、皇权思维、奴性思维严重束缚着人们的头脑。五四运动反对专制与迷信，提倡民主与科学。但这个运动主要是在知识界进行的，并未根本解决思想启蒙与思想解放问题，并且在摆脱了一些旧的思想束缚的同时，又造成了新的思想束缚，把西方的东西变成教条、照搬照抄。本来自己是有理性和理解力的，结果却把大脑交给了别人，因而也把自己的命运交给了别人，没有勇气和胆量独立思考、自我担当。唯书唯上的思维方式在党和红军中也普遍存在着，并突出表现为“两个凡是”，即“凡是马恩列斯讲的话都要遵守，凡是共产国际的指示必须照办”。主观主义作为实际工作中的唯心主义，表现为教条主义和经验主义。二者都严重危害着革命事业，而教条主义对于中国革命的危害更大。

针对党和红军中普遍存在的主观主义思想方法，1929 年 12 月，毛泽东在给红四军第九次党代会写的决议中指出，主观主义在某些党员中浓厚地存在，对于分析政治形势和指导工作都非常不利。因为对于政治形势的主观主义分析和对于工作的主观主义指导，其必然的结果，不是机会主义，就是盲动主义。为此，他主张使党员的思想政治化、科学化，“教育党员用马克思列宁主义的方法去作政治形势的分析和阶级势力的估量，以代替主观主义的分析和估量”。“使党员注意社会经济的调查和研究，由此来决定斗争的策略和工作的方法”①。

为了反对教条式的马克思主义，倡导创造性的马克思主义，反对主观主义的思想路线，确立实事求是的思想路线，按照实际情况制定正确的战略策略，把中国革命引向胜利，1930 年 5 月，毛泽东总结调查研究的经验，写了《调查工作》一文。这篇短文当时由闽西特委翻印，在红四军和中央苏区广为流传。由于战事频仍，很多资料难于保存，这篇文章也在反“围剿”中散失了。

毛泽东本人非常珍爱这篇文章，一直为它的遗失而遗憾。1957 年 2 月，福建省上杭县一位叫赖茂基的农民，把自己珍藏了 27 年之久的一本油印的《调查工作》小册子作为革命文物贡献出来，这篇重要而珍贵的历史文献才得以重新面世。毛泽东听到这个消息非常高兴，说失散多年的“孩子”终于找回来了。

1961 年 3 月，中共中央把它印发给各中央局、各省市自治区党委。毛泽东特地为它写了一段说明：“这是一篇老文章，是为了反对当时红军中的教条主义思想而写的。那时没有用‘教条主义’这个名称，我们叫它做‘本本主义’。写作时间大约在一九三〇年春季，已经三十年不见了。一九六一年一月，忽然从中央革命博物馆里找到，而中央革命博物馆是从福建龙岩地委找到的。看来还有些用处，印若干份供同志们参考。”毛泽东在印发这篇文章时，对正文作了一些文字修改，将标题改为《关于调查工作》。1964 年 6 月，《关于调查工作》收入《毛泽东著作选读》甲种本和乙种本，毛泽东把它的题目改为《反对本本主义》。

---

① 《毛泽东选集》第 1 卷，人民出版社 1991 年版，第 92 页。

在这篇短文中，毛泽东以简洁的语言、泼辣的笔触、鲜明的态度，批判了唯书唯上的教条主义、形式主义以及安于现状、不求甚解的保守思想，倡导“共产党人从斗争中创造新局面的思想路线”①。毛泽东尖锐地批评有人讨论问题时开口闭口“拿本本来”，强调必须把上级所作的决议、指示同本地区、本部门实际情况结合起来。他说：“马克思主义的‘本本’是要学习的，但是必须同我国的实际情况相结合。我们需要‘本本’，但是一定要纠正脱离实际情况的本本主义。”②而为了纠正本本主义，就要向实际做调查，深入了解中国情况，制定正确战略策略，引导中国革命走向胜利。若“没有调查，没有发言权”③。“你对于那个问题不能解决吗？那末，你就去调查那个问题的现状和它的历史吧！你完完全全调查明白了，你对那个问题就有解决的办法了。一切结论产生于调查情况的末尾，而不是在它的先头。”④“调查就像‘十月怀胎’，解决问题就像‘一朝分娩’。调查就是解决问题。”⑤如果不作调查，只是冥思苦索地“想办法”、“打主意”，一定不能想出什么好办法、打出什么好主意，一定要产生错办法和错主意。“离开实际调查就要产生唯心的阶级估量和唯心的工作指导，那末它的结果，不是机会主义便是盲动主义”⑥。毛泽东指出：“中国革命斗争的胜利要靠中国同志了解

---

① 《毛泽东选集》第1卷，人民出版社1991年版，第116页。
② 《毛泽东选集》第1卷，人民出版社1991年版，第111—112页。
③ 《毛泽东选集》第1卷，人民出版社1991年版，第109页。
④ 《毛泽东选集》第1卷，人民出版社1991年版，第110页。
⑤ 《毛泽东选集》第1卷，人民出版社1991年版，第110—111页。
⑥ 《毛泽东文集》第8卷，人民出版社1999年版，第257页。

中国情况。”①“共产党的正确而不动摇的斗争策略，决不是少数人坐在房子里能够产生的，它是要在群众的斗争过程中才能产生的，这就是说要在实际经验中才能产生。因此，我们需要时时了解社会情况，时时进行实际调查。”②《反对本本主义》是毛泽东最早的专门讲思想方法和工作方法的著作，是党的实事求是思想路线初步形成的重要标志。

（三）深入研究马克思主义哲学，从哲学高度总结历史经验

由于以王明为代表的“左”的教条主义的错误领导，党和中国革命几乎陷入绝境，并最终遭受了第五次反“围剿”失败。1935 年 1 月召开的遵义会议，纠正了“左”的军事路线，选举毛泽东为政治局常委，取消了原有的“三人团”（中央政治局常委博古、政治局常委兼中央革命军事委员会常委周恩来以及军事顾问李德），由最高军事首长朱德、周恩来为军事指挥者，周恩来为党内委托的对于指挥军事上下最后决心的负责者。3 月中旬，又成立了由周恩来、毛泽东、王稼祥组成的中共中央政治局最高军事指挥机构“三人团”，从而确立了毛泽东在党和红军中的领导地位，解决了最迫切的军事问题和中央领导机构问题。但教条主义尚未得到彻底清算，就全党来说，思想路线问题并没有得到根本解决。

---

① 《毛泽东选集》第 1 卷，人民出版社 1991 年版，第 115 页。

② 《毛泽东选集》第 1 卷，人民出版社 1991 年版，第 115 页。

而这时的中国正处于由国内战争向全民族抗日战争转变的重大历史关头。面对错综复杂的国内外矛盾、迅速发展的客观形势以及重大的历史机遇，迫切需要科学分析形势，准确把握时局，制定正确的战略策略。然而，只有解决思想路线问题，才能从根本上解决政治路线、军事路线问题。而哲学路线是思想路线的理论基础，思想路线则是哲学路线的实际运用。没有正确的哲学路线，正确的思想路线就没有理论支撑，就难以确立和巩固。只有从哲学高度科学总结历史经验，深刻揭露各种错误的思想根源，并在学习马克思主义哲学的基础上创立一种新哲学，解决哲学路线问题，才能从根本上解决我们党的思想路线以及政治路线、组织路线和军事路线问题。

红军长征到达陕北以后，党深刻总结领导政治斗争和军事斗争的经验，根据中国正处于国内战争向全民族抗日战争转变的时局，制定了建立抗日民族统一战线的政治路线和中国革命的战略策略。1935 年 12 月召开的瓦窑堡会议，提出了建立抗日民族统一战线的主张。会后，毛泽东在党的活动分子大会上作了《论反对日本帝国主义的策略》的报告，深刻分析了九一八事变特别是 1935 年华北事变后，日本帝国主义侵占了中国东北后又继续侵略华北、中国面临着严重的民族危机、中日矛盾成为主要矛盾、国际关系和国内关系发生重大变化的时局，指出民族革命高潮即将到来，中国处在新的大革命的前夜；而日本帝国主义力量强大，中国革命力量严重薄弱且不平衡。时局变化了，革命的战略策略、领导方式也必须跟着改变。这就是勇敢地抛弃关门主义，建立广泛的民族革命统一战线；防止冒险主义，准备打持久战，不到决战的时机，没有决战的力量，不能冒冒失失地去进行决战。这个报告正确地解决了党的政治路线问题，为党领导伟大的抗日战争作了重要思想准备；批判了“左”的关门主义和冒险主义错误，深刻揭示了其脱离实际、死板僵化的教条主义这一思想方法论根源，标志着党在系统解决政治路线问题的同时，开始从哲学高度解决思想路线问题。

1936 年 12 月，毛泽东在抗日红军大学作了《中国革命战争的战略问题》的演讲。他强调研究战争的指导规律，“应该着眼其特点和着眼其发展，反对战争问题上的机械论”①，不但要研究战争规律，而且要研究革命战争规律，还要研究中国革命战争规律，更要研究中国革命各个时期的战争规律。研究战争指导规律，必须做到主观与客观相符合。要做到主观符合客观，学习在战争大海中的游泳术，就必须学习、运用马克思主义的科学的思想方法和认识方法。他说：“我们的眼力不够，应该借助于望远镜和显微镜。马克思主义的方法就是政治上和军事上的望远镜和显微镜”②。毛泽东关于研究战争规律问题的论述，已超出了军事斗争范畴，而具有了世界观方法论的意蕴。

在制定正确的政治路线和军事路线的同时，毛泽东适应中国革命的迫切需要，紧密联系中国革命实际，以很大的精力研究哲学，从哲学高度总结中国革命经验，批判主观主义特别是教条主义，探索中国革命特别是当时抗日战争的战略道路，并提出了一些新的哲学见解。《毛泽东哲学批注集》收入了毛泽东读 10 部书的批注和一篇读书摘录，其中 8 部书的批注和一个读书摘

① 《毛泽东选集》第 1 卷，人民出版社 1991 年版，第 173 页。
② 《毛泽东选集》第 1 卷，人民出版社 1991 年版，第 212 页。

录写于延安时期。在1936年11月至1937年4月间，他读了西洛可夫、爱森堡等著的《辩证法唯物论教程》(中译本第三版，李达、雷仲坚译)。1937年7月前，读了米丁等著(沈志远译)的《辩证唯物论与历史唯物论》(上册)。他针对主观主义特别是教条主义者脱离实践学习理论、脱离国情照搬理论的错误，强调研究哲学、重视理论"不是为着满足好奇心，而是为改造世界"，"为着有效的指导实践"。[①] 针对教条主义者反对结合中国实际学习和运用马克思主义、反对把马克思主义中国化的错误，强调"共同点与特殊点都是要紧的，而特点尤要"[②]；针对教条主义者不能正确把握中国社会的主要矛盾及其发展变化，导致了政治路线和军事路线的错误，强调"客观世界是发展的，主观认识也是发展的"[③]，"客观形势发展了，主观认识也应跟着发展。认识新形势中的新矛盾和新联结"[④]。要根据主要矛盾的变化，来确定我们的根本任务和战略策略。毛泽东研读哲学的心得与做的笔记，为他系统地创立和建构新哲学，作了重要的思想与资料准备。

从1937年4月开始，毛泽东在延安的抗日军政大学讲哲学，每周二、四上午上课，每次4小时，总共100多小时，并为此写了《辩证法唯物论(讲授提纲)》。提纲共三章。

第一章 唯心论与唯物论

一、哲学中的两军对战

① 《毛泽东哲学批注集》，中央文献出版社1988年版，第152页。
② 《毛泽东哲学批注集》，中央文献出版社1988年版，第176页。
③ 《毛泽东哲学批注集》，中央文献出版社1988年版，第14页。
④ 《毛泽东哲学批注集》，中央文献出版社1988年版，第14—15页。

二、唯心论与唯物论的区别

三、唯心论发生与发展的根源

四、唯物论发生与发展的根源

第二章　辩证法唯物论

一、辩证法唯物论是无产阶级革命的武器

二、旧的哲学遗产同辩证法唯物论的关系

三、辩证法唯物论中宇宙观和方法论的一致性

四、唯物辩证法的对象问题——唯物论辩证法是研究什么么的

五、物质论

六、运动论(发展论)

七、时空论

八、意识论

九、反映论

十、真理论

十一、实践论

第三章　唯物辩证法

在第三章中,毛泽东设想,一个完整的唯物辩证法系统应包括矛盾统一法则、质量互变法则、否定之否定法则以及本质与现象、形式与内容、原因与结果、根据与条件、可能与现实、偶然与必然、必然与自由、链与环等各对范畴,但他只讲了矛盾统一法则。七七事变后,全民族抗战开始,毛泽东在抗大的讲课就中断了。

《辩证法唯物论(讲授提纲)》于 1937 年 9 月在延安油印,未署名。1938 年公开署名发表于广州统一出版社发行的中共

广东省委刊物《抗战大学》杂志(半月刊)第1卷第6—8期“新哲学讲座”栏目,但只刊载到第2章第6节“运动论(发展论)”。新中国成立前,《辩证法唯物论(讲授提纲)》翻印出版20多种。其中影响较大的有:八路军军政杂志社1940年版本、冀中第四军分区政治部国防出版社1941年版本、晋察冀日报1941年版本、新华书店晋察冀分店1942年版本、华北新华书店1943年版本、大连大众书店版本、中国出版社1946年版本、张垣印刷局1947年版本等。1958年,天津人民出版社出版了《辩证法唯物论提纲》。

《实践论》与《矛盾论》虽然只是《辩证法唯物论(讲授提纲)》中的两节,但二者篇幅之和却比其他部分还多。《辩证法唯物论(讲授提纲)》63000多字,《实践论》与《矛盾论》初稿35000多字,并且是《辩证法唯物论(讲授提纲)》中理论创新最多的部分。《实践论》为新四军四师政治部机关报《拂晓报》于1942年8月26日和9月8日刊载,还被收入苏中区委编的《整顿三风参考材料》第2集(1944年)以及渤海日报社编的《整风参考资料》(1945年)。当时,在延安的理论工作者也极为重视《辩证法唯物论(讲授提纲)》。艾思奇在编写《哲学研究提纲》(1939年由晨光书店出版)时,吸取了《辩证法唯物论(讲授提纲)》尤其是《实践论》与《矛盾论》的一些内容。哲学家张如心说,从毛泽东的《辩证法唯物论(讲授提纲)》中可以清楚地看到他如何深刻透彻地了解唯物辩证法的本质,如何把长期的丰富的革命斗争经验以辩证法的方法科学地综合起来,这与关于辩证法的许多枯燥无味的公式主义的叙述比较起来有很大的区别,毛泽东在辩证法唯物论上特别是在对立统一法则的具体应用上有许多新的发展。青年哲学家和培元认为,《实践论》《矛盾论》是马克思主义中国化的典范,指示着新哲学中国化的正确道路。

收入《毛泽东选集》第一卷的《实践论》和《矛盾论》,是分别在该讲授提纲第二章第十一节《实践论》和第三章第一节《矛盾论》的基础上修改补充而成的。《实践论》《矛盾论》是为了反对党内以教条主义和经验主义为表现形态的主观主义,特别是为了反对教条主义,树立理论联系实际的马克思主义学风,确立马克思主义思想路线,实现马克思主义与中国实际相结合,引导中国革命走向胜利而作的。《实践论》论述了主观与客观、理论与实践、知与行的具体的历史的统一,深刻揭示了"左"、右倾错误的认识论根源,指出"唯心论和机械唯物论,机会主义和冒险主义,都是以主观和客观相分裂,以认识和实践相脱离为特征的"①。《矛盾论》论述了矛盾普遍性与特殊性的辩证关系,深刻揭示了"左"、右倾错误的形而上学实质,指出,他们不懂得由特殊到一般、又由一般到特殊的认识过程的辩证法,拒绝对于具体事物做任何艰苦的研究工作,把一般真理看成是凭空出现的东西,视为人们所不能够捉摸的纯粹抽象的公式;他们也不了解应当用不同的方法去解决不同的矛盾,而只是千篇一律地用一种自以为不可改变的公式到处硬套,这就只能使革命遭受挫折,或者将本来做得好的事情弄得很坏。《实践论》《矛盾论》对马克思主义基本原理同中国革命具体实践相结合的必要性作了充分的哲学论证,对否认这种"结合"的主观主义特别是教条主义作

① 《毛泽东选集》第1卷,人民出版社1991年版,第295页。

了深刻的哲学批判，对如何实现这种“结合”在方法论上作了系统总结与论述。

（四）在全党开展整风运动，确立马克思主义思想路线

《实践论》《矛盾论》为解决思想路线问题提供了哲学基础。但以正确的哲学路线为指导破除主观主义思想路线，确立马克思主义思想路线，还须付出艰巨的努力。为了彻底清算以教条主义为特征的“左”的错误，使全党同志深刻认识这种错误产生的思想理论根源，学会运用马克思主义的立场观点方法观察问题、明辨是非，实现党在指导思想、政治路线、组织路线、军事路线上的高度统一，党和毛泽东在全党范围内发起了一场普遍的马克思主义教育运动即延安整风运动，反对主观主义以整顿学风，反对宗派主义以整顿党风，反对党八股以整顿文风。反对主观主义以整顿学风，则是整风运动的重点。其一是因为主观主义是一切“左”的右的错误的总根源。无论是右的错误，还是“左”的错误，从思想根源上看，都是由于主观与客观相分裂，理论与实践相脱离。其二是因为主观主义特别是教条主义在人们的思想上还有很大影响。王明是20世纪30年代初期党内教条主义的代表人物。1931年10月18日，王明离开上海去莫斯科，担任共产国际主席团成员、执行委员会委员、中共驻共产国际代表团团长。1935年8月1日，以王明为首的中共驻共产国际代表团以中华苏维埃中央政府和中共中央名义在莫斯科发表了《中国苏维埃政府、中国共产党中央为抗日救国告全体同胞书》（史称《八一宣言》），主张建立抗日民族统一战线的政策，提

出抗日救国十大纲领，号召全国同胞为祖国生命、民族生存、国家独立、领土完整、人权自由而战。1937 年 11 月 29 日，王明回到延安。王明对于建立抗日民族统一战线、扩大中国共产党的政治影响是有贡献的。他虽然读了许多马克思主义的书，但没有掌握马克思主义的精髓，不了解中国的国情，无实事求是之意，有哗众取宠之心，只知背诵马恩列斯著作中的若干词句，徒有虚名，并无实学，却以马克思主义者的面目出现，作报告和演说滔滔不绝、引经据典，迷惑文化水平不高的工农干部，吓唬天真烂漫的青年。党的许多干部甚至高级干部对于王明"一切经过统一战线、一切服从统一战线"的教条主义错误主张抱有盲目的迷信，对于毛泽东坚持抗日民族统一战线中的独立自主的正确主张产生怀疑和动摇。毛泽东引用明代翰林学士、《永乐大典》总编纂解缙的楹联给教条主义画像：墙上芦苇，头重脚轻根底浅；山间竹笋，嘴尖皮厚腹中空。指出主观主义特别是教条主义害人害己害革命，是工人阶级的大敌、人民的大敌、民族的大敌，只有打倒它，马克思列宁主义的真理才会抬头，党性才会巩固，革命才会胜利。

毛泽东在《改造我们的学习》报告中精辟而深刻地阐述了党的实事求是思想路线的丰富内涵。他说："'实事'就是客观存在着的一切事物，'是'就是客观事物的内部联系，即规律性，'求'就是我们去研究。我们要从国内外、省内外、县内外、区内外的实际情况出发，从其中引出其固有的而不是臆造的规律性，即找出周围事变的内部联系，作为我们行动的向导。而要这样做，就须不凭主观想象，不凭一时的热情，不凭死的书本，而凭客观存在的事实，详细地占有材料，在马克思列宁主义一般原理的指导下，从这些材料中引出正确的结论。……这种态度，就是党性的表现，就是理论和实际统一的马克思列宁主义的作风。”① 在这段文字中，内涵着一切从实际出发、实事求是、理论联系实际等基本观点。在《实践论》中，毛泽东强调指出：“只有人们的社会实践，才是人们对于外界认识的真理性的标准。”“真理的标准只能是社会的实践。”②

延安整风教育和训练了干部，提高了党的马克思主义水平，确立了实事求是的马克思主义思想路线。1945 年 4 月 20 日，中共六届七中全会原则通过了《关于若干历史问题的决议》，总结了党成立 24 年来的历史经验，彻底清算了“左”倾错误，全党空前一致地认识到了毛泽东的路线的正确，空前自觉地团结在了毛泽东的旗帜之下。4 月 23 日至 6 月 11 日，党的七大在延安中央大礼堂召开。代表全国 121 万党员的 547 名正式代表和 208 名候补代表出席大会。主席台前沿上方书写着“在毛泽东的旗帜下胜利前进”的巨幅标语；两侧挂有 6 个 V 字形旗座，每个旗座上插四面党旗，并钉有一个写着“坚持真理、修正错误”的标语牌；礼堂后墙上方是毛泽东题写的“同心同德”四个大字。这些陈设的寓意是：中国共产党自成立以来，已经召开了 6 次代表大会，走过了 24 年的历程，这 24 年是胜利的 24 年。大会要贯彻延安整风精神，坚持真理，修正错误，同心同德，在毛泽东旗帜指引下胜利前进。大会确立了中国化的马克思主义——毛泽东思想在全党的指导地位，实现了党在指导思想上的空前

① 《毛泽东选集》第 3 卷，人民出版社 1991 年版，第 801 页。
② 《毛泽东选集》第 1 卷，人民出版社 1991 年版，第 284 页。

统一和组织上的空前团结与巩固。

党的思想路线主要是为了解决主观符合客观、理论联系实际的问题。在《实践论》和《矛盾论》中，毛泽东论述了认识的实践基础、发展过程与根本规律，阐发了以矛盾普遍性与特殊性的辩证关系为核心的客观事物的辩证法以及认识和实践的辩证法，从哲理层面回答了为何以及怎样实现主观与客观相统一、理论与实际相结合的问题。《实践论》与《矛盾论》珠联璧合、交相辉映，系统建构了中国革命的哲学方法论。

二、《实践论》:唯物而辩证的认识论

教条主义拒绝研究中国实际和中国革命经验,只是生吞活剥、照抄照搬马克思主义的词句,而不是把马克思主义当作行动的指南和科学的方法;经验主义则不了解理论对于革命实践的重要性,拘守于片面经验,看不见革命全局,虽然辛苦,但却是盲目地工作。二者都曾使中国革命遭受了极大损失。毛泽东的《实践论》是为揭露党内的教条主义和经验主义特别是教条主义而作的。因为重点是揭露看轻实践的教条主义这种主观主义,故题为《实践论》。在《实践论》中,毛泽东阐述了实践在认识中的重要地位、认识的辩证发展过程、认识运动的规律和真理发展的规律。

(一)实践是认识的基础

在马克思主义哲学产生之前,唯心主义只关注人的活动中的精神因素;旧唯物主义尽管看到客观事物不依赖于人们的意识而存在,认为人的认识是对于客观事物的反映,但这种反映是消极直观的,人的实践活动并未进入他们的视野。

马克思主义的创始人马克思、恩格斯十分重视实践的作用,自觉地把实践作为自己哲学的基础,实现了哲学史上的伟大革命。马克思指出:“从前的一切唯物主义(包括费尔巴哈的唯物主义)的主要缺点是:对对象、现实、感性,只是从客体的或者直观的形式去理解,而不是把它们当作感性的人的活动,当作实践去理解,不是从主体方面去理解。因此,和唯物主义相反,能动的方面却被唯心主义抽象地发展了,当然,唯心主义是不知道现实的、感性的活动本身的。”①马克思也指出了实践在认识中的重要作用。他说:“人的思维是否具有客观的……真理性,这不是一个理论的问题,而是一个实践的问题。人应该在实践中证明自己思维的真理性,即自己思维的现实性和力量,自己思维的此岸性。”②他还鲜明地揭示了马克思主义哲学不同于一切旧哲学的突出特点,指出“哲学家们只是用不同的方式解释世界,而问题在于改造世界”③。列宁明确提出:“生活、实践的观点,应该是认识论的首要的和基本的观点。”④

中国古代以儒家为代表的主流思想家也主张经世致用,重视实践,崇尚实学、实事、实功。荀子说:“不闻不若闻之,闻之不若见之,见之不若知之,知之不若行之。学至于行之而止矣。”⑤南宋词人陆游也以重视躬行践履来教育自己的孩子:“古

---

① 《马克思恩格斯选集》第 1 卷,人民出版社 1995 年版,第 54 页。
② 《马克思恩格斯选集》第 1 卷,人民出版社 1995 年版,第 55 页。
③ 《马克思恩格斯选集》第 1 卷,人民出版社 1995 年版,第 57 页。
④ 《列宁选集》第 2 卷,人民出版社 1995 年版,第 103 页。
⑤ 《荀子·儒效》。

人学问无遗力，少壮工夫老始成。纸上得来终觉浅，绝知此事要躬行。”①

什么是实践？实践是人们能动地改造世界的社会性、历史性的物质活动。实践是客观的物质活动，是人作为物质力量、运用物质手段、作用于物质对象并产生物质性的结果的活动。实践是自觉能动的活动。人是具有自觉能动性和创造性的存在物，它不是被动地依赖、消极地适应自然界，而是以自觉能动的实践活动改造自然，以实现自己的生存和发展。这是人与动物的根本区别。恩格斯说：“动物仅仅利用外部自然界，简单地通过自身的存在在自然界中引起变化；而人则通过他所作出的改变来使自然界为自己的目的服务，来支配自然界。这便是人同其他动物的最终的本质的差别，而造成这一差别的又是劳动。”②人们的实践既要遵循“物种的尺度”即客体的尺度，按照客观规律办事；又要遵循内在的尺度即主体的尺度，符合人类生存发展的需要。而客体尺度和主体尺度的统一又形成了新的尺度和规律，即“目的的尺度”、“目的的规律”。目的既是主体“内在尺度”的表现、主体的自身需要的自我意识，又是客体的“外在尺度”的表现、对客观事物及其规律的正确反映。目的不仅体现必然性，而且体现应然性。对于人的实践活动来说，目的是一种主动的、积极的力量，它作为一种“目的因”，驱动人们进行能动创造的实践活动，并力图达到某种合乎需要的结果。目的贯穿于实践的全过程，是实践创造价值的内在动因，是衔接实践

① 陆游：《冬夜读书示子聿》。

② 《马克思恩格斯选集》第4卷，人民出版社1995年版，第383页。

的各个环节、协同实践的各种要素的中心。实践是社会性活动。人们只有结成一定的社会关系,才能在自然界面前确立自己的主体地位,形成一种社会力量,进行改造自然的生产活动。而人们的实践活动既受历史条件制约,又是一个历史发展过程。

人们的实践活动是丰富多彩、多种多样的。从实践的领域来看,有物质生产实践、社会政治实践以及科学文化实践。在《实践论》中,毛泽东多次讲道:“人类的生产活动是最基本的实践活动,是决定其他一切活动的东西”①,“人的社会实践,不限于生产活动一种形式,还有多种其他的形式,阶级斗争,政治生活,科学和艺术的活动”②。毛泽东还将社会实践过程诠释为“物质生产过程”、“阶级斗争过程”以及“科学实验过程”。③ 新中国成立后,毛泽东又将阶级斗争、生产斗争、科学实验作为实践的基本形式。

有生命的现实的个人存在是人类历史的首要前提。人们为了创造历史,必须能够生存。而为了生存,就必须吃喝住穿。而要获得这些生活资料,就必须进行物质生产。因此,物质生产就成为人类历史的第一个活动。物质生产实践要解决的是人与自然的矛盾。生产物质生产资料和生活资料,是最基本的首要的实践活动。没有物质生产实践,人类就不能生存。马克思说:“任何一个民族,如果停止劳动,不用说一年,就是几个星期,也要灭亡”④。社会政治实践是形成、改造各种社会关系的实践,

① 《毛泽东选集》第1卷,人民出版社1991年版,第282页。
② 《毛泽东选集》第1卷,人民出版社1991年版,第283页。
③ 《毛泽东选集》第1卷,人民出版社1991年版,第284页。
④ 《马克思恩格斯选集》第4卷,人民出版社1995年版,第580页。

只有经过这种实践，才能建立和完善各种社会关系，协调人们的各种利益，社会才能正常运转，物质生产也才能不断地进行。科学文化实践是生产精神文化产品的实践。人们通过这种实践，探索世界的奥妙，发现世界的规律，发展自然科学、人文社会科学、思维科学，创造各种科学技术和精神文化产品，为经济社会发展与人的发展提供科技支撑、文化食粮、价值取向、道德规范。

从实践的功能来看，有常规实践和创新实践。常规实践是指那些运用已被发现了的事物的规律、属性和关系，按照已有的规则和范式进行的实践。创新实践则是指那些通过对事物规律、属性、关系的新发现或新运用，能够比已有的实践更能有效地认识世界和改造世界的实践。创新实践比常规实践更能体现人类的能动性和创造性，更能拓展人类认识世界的深度和广度，更能体现实践改造世界、满足人类生存发展需要的功能。创新实践是破旧立新和推陈出新，在实践的观念、目的、方式、手段、对象、结果等方面都要有所突破和创造，能够更为有力地拓展人类认识世界和改造世界的深度和广度，更为有效地认识世界和改造世界，更为有效地满足人们的物质与精神需要。毛泽东之所以坚决反对教条主义，强烈主张把马克思主义与中国实际相结合，就是为了在创新实践中开拓把中国革命引向胜利的道路。

马克思主义以前的唯物论即旧唯物论不懂得实践的重要性，“离开人的社会性，离开人的历史发展，去观察认识问题，因此不能了解认识对社会实践的依赖关系”①。中国的教条主义者则是轻视实践，不尊重中国实际、中国革命实践及其经验，不

① 《毛泽东选集》第1卷，人民出版社1991年版，第282页。

重视调查研究,只是生搬硬套马克思主义的词句和外国革命的经验,在实践中被碰得头破血流。鉴于教条主义给中国革命造成的严重危害,毛泽东突出强调实践第一的观点,指出实践贯穿着我们认识的全过程,“认识以实践始以实践终”,“实践是发展的,理论也应是发展的”。[①] 在实践中实现主体与客体的统一,深刻揭示了实践在认识过程中的基础地位和决定作用。

实践是认识产生的源泉。毛泽东说:“马克思主义者认为人类的生产活动是最基本的实践活动,是决定其他一切活动的东西。人的认识,主要地依赖于物质的生产活动,逐渐地了解自然的现象、自然的性质、自然的规律性、人和自然的关系;而且经过生产活动,也在各种不同程度上逐渐地认识了人和人的一定的相互关系。一切这些知识,离开生产活动是不能得到的。在没有阶级的社会中,每个人以社会一员的资格,同其他社会成员协力,结成一定的生产关系,从事生产活动,以解决人类物质生活问题。在各种阶级的社会中,各阶级的社会成员,则又以各种不同的方式,结成一定的生产关系,从事生产活动,以解决人类物质生活问题。这是人的认识发展的基本来源。”[②]

毛泽东说,无论何人要认识什么事物,除了同那个事物接触,即生活、实践于那个事物的环境中,是没有法子解决的。“秀才不出门,全知天下事”,在技术不发达的古代只是一句空话,在技术发达的现代虽然可以实现这句话,然而真正亲知的是天下实践着的人,那些人在他们的实践中间取得了“知”,经过

① 《毛泽东哲学批注集》,中央文献出版社 1988 年版,第 33、37、144 页。
② 《毛泽东选集》第 1 卷,人民出版社 1991 年版,第 282—283 页。

文字和技术的传达而到达于“秀才”之手，秀才乃能间接地“知天下事”。如果要直接地认识某种或某些事物，便只有亲身参加于变革现实、变革某种或某些事物的实践的斗争中，才能触到那种或那些事物的现象，也只有在亲身参加变革现实的实践的斗争中，才能暴露那种或那些事物的本质而理解它们。“知识的问题是一个科学问题，来不得半点的虚伪和骄傲，决定地需要的倒是其反面——诚实和谦逊的态度。你要有知识，你就得参加变革现实的实践。你要知道梨子的滋味，你就得变革梨子，亲口吃一吃。”[①]一切真知都是从直接经验发源的。任何知识的来源，在于人的肉体感官对客观外界的感觉，否认了这个感觉，否认了直接经验，否认亲自参加变革现实的实践，他就不是唯物论者。中国有一句老话：“不入虎穴，焉得虎子。”离开实践的认识是不可能的。人们通过物质生产实践、社会交往实践以及科学实验等活动，逐渐了解自然规律和社会规律，认识人和自然的关系以及人和人的关系。若离开实践，人的认识就成了无源之水、无本之木。我们肯定实践是认识的源泉，并不否定接受间接知识的重要性和必要性。由于人生有涯、宇宙无疆，由于知识可以传承，因而人不可能也没有必要事事都要直接经验，而是需要大量吸收间接经验，从书本上、从他人的经验中学习。但吸收间接经验是以直接经验为基础和前提的。而对于自己是间接经验的东西，对最初取得这些经验的人来说，仍然是直接经验。因此，就知识的总体说来，无论何种知识都是不能离开直接经验的。

毛泽东强调在实践中获得真知，在实践中积累经验，把握规

---

① 《毛泽东选集》第1卷，人民出版社1991年版，第287页。

律,增强信心,做好所担负的工作。他举例说,常常听到一些同志在不能勇敢接受工作任务时说出来的一句话:没有把握。之所以没有把握,是因为他从来就没有接触过这类工作,或者接触得不多,没有把握这类工作的规律性。及至详细了解了这项工作的情况和环境,他就觉得比较地有了把握,愿意去做这项工作。如果这个人在这项工作中经过了一个时期,有了这项工作的经验,并且肯虚心体察情况,而不是主观地、片面地、表面地看问题,他就知道了应该怎样进行工作,他的工作勇气也就可以大大地提高。只有那些主观地、片面地和表面地看问题的人,跑到一个地方,不问环境的情况,不看事情的全体,也不触到事情的本质,就自以为是地发号施令,这样的人是没有不跌交子的。[1]

实践是认识发展的动力。社会实践不断向人们提出新的问题和新的要求,推动人们去探求新知。人的实践作为一种自觉能动的活动,是以对于客观世界运动发展规律的认识为指导的。为了正确实践并取得预期的结果,必须认识客观实际,认识事物运动发展的规律。社会实践也为人们积累了日益丰富的经验材料,创造出了新的认识手段和认识工具。社会实践的纵向推进和横向拓展,使人们能够用宏大深远的时空视野来观察社会历史,发现社会发展的客观规律和必然趋势。毛泽东在《实践论》中说:"马克思主义者认为人类社会的生产活动,是一步又一步地由低级向高级发展,因此,人们的认识,不论对于自然界方面,对于社会方面,也都是一步又一步地由低级向高级发展,即由浅入深,由片面到更多的方面。在很长的历史时期内,大家对于社

① 参见《毛泽东选集》第1卷,人民出版社1991年版,第290页。

会的历史只能限于片面的了解，这一方面是由于剥削阶级的偏见经常歪曲社会的历史，另方面，则由于生产规模的狭小，限制了人们的眼界。人们能够对于社会历史的发展作全面的历史的了解，把对于社会的认识变成了科学，这只是到了伴随巨大生产力——大工业而出现近代无产阶级的时候，这就是马克思主义的科学。"①

实践是认识的目的。人们认识的根本目的，不在于获得对于客观事物本质和规律的认识，因而能够解释世界；而在于运用对于客观事物本质和规律的正确认识去指导实践，自觉能动地、卓有成效地改造世界。"理论的基础是实践，又转过来为实践服务"②。"马克思主义看重理论，正是，也仅仅是，因为它能够指导行动。如果有了正确的理论，只是把它空谈一阵，束之高阁，并不实行，那末，这种理论再好也是没有意义的。"③

实践是检验真理的唯一标准。毛泽东在《实践论》中指出："只有人们的社会实践，才是人们对于外界认识的真理性的标准。……判定认识或理论之是否真理，不是依主观上觉得如何而定，而是依客观上社会实践的结果如何而定。真理的标准只能是社会的实践。"④实践之所以是检验真理的唯一标准，是由真理的本性和实践的特性决定的。真理是人们的思想对于客观事物及其规律的正确反映，是主观与客观相符合的认识。判断一种认识是不是真理，在主观的范围内是不能解决的，客观事物

① 《毛泽东选集》第 1 卷，人民出版社 1991 年版，第 283—284 页。

② 《毛泽东选集》第 1 卷，人民出版社 1991 年版，第 284 页。

③ 《毛泽东选集》第 1 卷，人民出版社 1991 年版，第 292 页。

④ 《毛泽东选集》第 1 卷，人民出版社 1991 年版，第 284 页。

本身也不能自动地把自己与人的认识相对照。作为检验真理的标准,既不能到主观领域中去寻找,也不能到纯粹客观的领域中去寻找,只能到能够把主客观联结起来的东西中去寻找,这种东西只能是实践。因为实践不仅具有普遍性的品格,而且具有直接现实性的品格。实践具有直接现实性。实践作为在一定思想指导下的感性物质活动,能够将一种理论、路线、方针、政策、计划、方案付诸行动,并产生一个结果,因而能够使人们把主观与客观、思想与实际联系起来加以对照。如果在实践中达到了预期的目的,就证明人的认识是正确的。如果经过反复实践都不能达到预期目的,就是对于一种认识的证伪。实践还具有普遍性。个别的、特殊的事物的普遍本质与一般规律能够在实践中逐步显露出来,实践本身也具有共通性和普遍性,只要具备同样的条件,就可以产生合乎规律的运动,并且获得同样的结果,从而证明规律性的存在,证明一种思想、理论与客观事物的本质与规律相符合。

实践作为检验真理的标准,是确定性与不确定性的统一。人的认识是否具有真理性,只能由实践来检验。即使在一定条件下的具体实践不能证明某一认识是否真理,但人类世代相续的总体性实践最终是能够证明和证伪人的一切认识的。一切思想观念、体制做法,都要在实践中证明自己的正确性、合理性、合法性。被实践证明是正确的,就应当肯定和坚持;被实践证明是错误的,就应当否定和抛弃。

人类实践又是具体的、历史的,只能在一定范围、一定方面、一定层次对人类的认识作出检验。在一定历史条件下的实践对认识的检验都不具有最终完成的性质。个别的、具体的实践是成功的,并不意味着总体性实践是成功的;一种理论在特定历史条件下的实践中被实现、证明了,并不意味着这种理论就是绝对正确的。任何一种理论,都要在总体性的、不断发展的实践中来证明;任何一种实践,其本身的效果也需要在不断发展的实践中来检验。任何理论都不是完美无缺的,任何实践也都是有历史局限性的。因此,理论需要完善,实践需要批判,历史需要反思。列宁指出:“实践标准实质上决不能完全地证实或驳倒人类的任何表象。这个标准也是这样的‘不确定’,以便不让人的知识变成‘绝对’,同时它又是这样的确定,以便同唯心主义和不可知论的一切变种进行无情的斗争。”①

实践标准是确定性与不确定性的辩证统一。若否认实践标准的确定性,就会导致相对主义、唯心主义和不可知论;若否认实践标准的不确定性,就会把实践和认识绝对化、凝固化,导致绝对主义、终极真理论和形而上学。

(二)认识的辩证发展过程

列宁在《唯物主义和经验批判主义》一书中指出,有两条根本对立的认识路线:一条是从物到感觉和思想的唯物主义认识路线,一条是从思想和感觉到物的唯心主义认识路线。一切唯物主义者都是从物到感觉和思想的反映论者。马克思主义不但坚持唯物主义反映论立场,而且将实践引入认识论,认为人的认识是以实践为基础的能动的辩证发展过程。列宁说:“从生动

① 《列宁选集》第2卷,人民出版社1995年版,第103页。

的直观到抽象的思维,并从抽象的思维到实践,这就是认识真理、认识客观实在的辩证途径。”①毛泽东在《实践论》中发展和深化了列宁的这一思想,精辟地阐述了以实践为基础的认识的辩证发展过程,把一个完整的认识过程概括为“两个飞跃”,认为人的认识是一个由实践到理论、再由理论到实践的辩证发展过程,是以实践为基础的由感性认识而能动地发展到理性认识、又从理性认识而能动地指导革命实践的过程。

1. 从感性认识而能动地发展到理性认识。人们在实践过程中,开始只是看到事物的现象、片面和外部联系,这就是感性认识。在感性认识阶段,人们还不能造成深刻的概念。而随着社会实践的继续,使人们在实践中引起感觉和印象的东西反复了多次,促使人们思考事物、现象、过程之间的内在联系,在人们的脑子里生起了一个认识过程中的突变(即飞跃),产生了概念。概念所反映的已经不是事物的现象、各个片面和外部联系,而是事物的本质、全体和内部联系。循此继进,运用概念进行判断和推理,作出合乎逻辑的结论,形成理论系统,从而形成对于事物的本质、全体和内部联系的认识。这个概念、判断和推理的阶段,也就是理性认识的阶段。认识的真正任务,就是实现从感性到理性的飞跃,认识本质,通观全体,发现内部联系,把握客观规律。感性认识是对于事物之片面的、现象的、外部联系的认识,理性认识则是对于事物的全体、本质和内部联系的认识。

要实现从感性认识到理性认识的飞跃:第一,必须通过实践获得丰富的而不是零碎的、合于实际的而不是主观臆造的感觉

---

① 《列宁全集》第55卷,人民出版社1990年版,第142页。

材料;第二,必须对于感觉材料进行去粗取精、去伪存真、由此及彼、由表及里的改造制作,造成概念和理论系统,从而获得对于事物的本质和规律的认识。

为什么只有造成概念和理论的系统,才能认识事物的本质和规律?因为任何事物都是作为系统而存在的,事物的本质和规律也具有多方面、多层次的规定性。我们只有把握客观事物诸多方面和诸多层次的规定性,把握客观事物的内在联系,才能由理论的抽象上升到理论的具体,由一级本质深入到二级本质,从而以系统而完备的理论形态全面把握客观事物的本质和规律。世界是一张普遍联系网,反映事物本质属性的一个个概念就是网上的纽结,反映世界普遍联系之网的理论就是由许多概念纽结构成的。我们对于客观事物的本质与运动发展规律的认识,就是在实践中逐步深化,逐步系统化、理论化的。

黑格尔说:"老人讲的那些宗教真理,虽然小孩也会讲,可是对老人来说,这些宗教真理包含着他全部生活的意义。即使这小孩也懂宗教的内容,可是对他来说,在这个宗教真理之外,还存在着全部生活和整个世界。"①同一句格言,从一个饱经风霜的老人嘴里说出来,和从一个未谙世事的孩童嘴里说出来,含义是根本不同的。因为一个老人口中的格言浸透了无数的人世沧桑和丰富的生活体验。当理论饱含了人生的体验,并达到一种澄明的境界,才能真正体现出理论理性的精深博大和内在力量。真正掌握宇宙社会人生的真理与智慧,既需要感性的躬行践履,也需要理性的慎思明辨。毛泽东在《实践论》中说:"感性

① 黑格尔:《小逻辑》,商务印书馆1980年版,第423页。

和理性二者的性质不同,但又不是互相分离的,它们在实践的基础上统一起来了。我们的实践证明:感觉到了的东西,我们不能立刻理解它,只有理解了的东西才更深刻地感觉它。感觉只解决现象问题,理论才解决本质问题。这些问题的解决,一点也不能离开实践。"①

毛泽东还列举若干例子来说明基于变革现实的实践而产生的认识逐渐深化的运动。譬如:无产阶级对于资本主义社会的认识,在其实践的初期——破坏机器和自发斗争时期,处于感性认识阶段,只是认识到了资本主义的各个现象的片面及其外部联系,这时的无产阶级还是一个所谓"自在的阶级"。到了他们实践的第二个时期——有意识有组织的经济斗争和政治斗争时期,在长期斗争实践中积累了丰富的经验,并且经过马克思恩格斯用科学的方法把这种经验总结起来,创立了马克思主义理论并用以教育无产阶级,从而使无产阶级理解了资本主义社会的本质,理解了资本主义社会中资产阶级与无产阶级的剥削与被剥削关系,理解了无产阶级的历史任务,这时的无产阶级就变成了一个"自为的阶级"。中国人民对于帝国主义的认识,也经历了一个从感性认识到理性认识的过程。第一阶段是表面的感性认识,表现为太平天国运动和义和团运动等所进行的笼统的排外主义的斗争。从 1919 年五四运动前后开始进入第二阶段即理性认识阶段,看出了帝国主义内部和外部矛盾以及联合中国买办资产阶级和封建地主阶级以压榨中国人民大众的实质。没有战争经验的领导者,在开始阶段不了解战争的指导规律,在经

① 《毛泽东选集》第 1 卷,人民出版社 1991 年版,第 286 页。

历了许多作战实践、总结了许多作战经验之后，就能够逐步理解战争的规律性、懂得战略战术，因而能够有把握地去指导战争。在列举了若干例证以后，毛泽东进而得出结论说：“由此看来，认识的过程，第一步，是开始接触外界事情，属于感觉的阶段。第二步，是综合感觉的材料加以整理和改造，属于概念、判断和推理的阶段。只有感觉的材料十分丰富（不是零碎不全）和合于实际（不是错觉），才能根据这样的材料造出正确的概念和论理来。”①

感性认识和理性认识是辩证统一的。理性认识以感性认识为前提，感性认识以理性认识为归结；感性认识中有理性认识的萌芽、元素，渗透着理性认识；理性认识涵纳着感性认识，是感性认识的整合、提升、深化。一方面，理性认识依赖于感性认识。理性的东西之所以靠得住，正是由于它来源于感性。“从认识过程的秩序说来，感觉经验是第一的东西，我们强调社会实践在认识过程中的意义，就在于只有社会实践才能使人的认识开始发生，开始从客观外界得到感觉经验。一个闭目塞听、同客观外界根本绝缘的人，是无所谓认识的。”②若离开了现实实践及其经验，理性的东西就成了无源之水、无本之木，只能是主观自生的靠不住的东西了。“认识开始于经验——这就是认识论的唯物论。”③如果以为理性认识可以不从感性认识得来，他就是一个唯心论者。哲学史上的“唯理论”，颠倒事实，只承认理性的实在性，不承认经验的实在性，以为只有理性靠得住，而感觉的

① 《毛泽东选集》第1卷，人民出版社1991年版，第290页。
② 《毛泽东选集》第1卷，人民出版社1991年版，第290页。
③ 《毛泽东选集》第1卷，人民出版社1991年版，第290页。

经验是靠不住的。

另一方面,感性认识有待于发展到理性认识。人的认识只有从感性上升到理性,才能把握事物的内部联系和规律性。承认"认识有待于深化,认识的感性阶段有待于发展到理性阶段——这就是认识论的辩证法"[①]。感性认识固然是对客观外界的某些真实性的反映,但这种反映还是片面的、现象的、表面的,尚未反映事物全体、本质和内部联系。"要完全地反映整个的事物,反映事物的本质,反映事物的内部规律性,就必须经过思考作用,将丰富的感觉材料加以去粗取精、去伪存真、由此及彼、由表及里的改造制作工夫,造成概念和理论的系统,就必须从感性认识跃进到理性认识。"[②]这种根据实践基础而科学地改造过的认识,不是更空虚、更不可靠的东西,而是更深刻、更正确、更完全地反映客观事物的东西。如果以为认识可以停顿在感性阶段,以为只有感性认识可靠,而理性认识是靠不住的,就重复了历史上的"经验论"的错误。庸俗的事务主义家、经验主义者尊重经验而看轻理论,因而不能通观客观过程的全体,缺乏明确的方针,没有远大的前途,沾沾自喜于一得之功和一孔之见。这种人如果指导革命,就会引导革命走到碰壁的地步。

总之,"理性认识依赖于感性认识,感性认识有待于发展到理性认识,这就是辩证唯物论的认识论。"[③]唯理论否认感性认识而重视理性认识,只承认理性的实在性,不承认经验的实在性;经验论则忽视理性认识而只重视感性认识,只承认经验的实

---

① 《毛泽东选集》第1卷,人民出版社1991年版,第291页。
② 《毛泽东选集》第1卷,人民出版社1991年版,第291页。
③ 《毛泽东选集》第1卷,人民出版社1991年版,第291页。

在性，否认理性的实在性。教条主义和经验主义是实际工作中的唯理论和经验论。教条主义不懂得要根据中国的实际来运用马克思主义，拒绝研究中国实际和中国革命的经验，把马克思主义变成了僵死的、一成不变的、可以机械套用的教条。经验主义则是轻视理论，拒绝正确理论的指导，满足于一孔之见和一得之功，把局部经验当成普遍真理，也只能导致革命的失败。有鉴于此，毛泽东主张，"有书本知识的人向实际方面发展，然后才可以不停止在书本上，才可以不犯教条主义的错误。有工作经验的人，要向理论方面学习，要认真读书，然后才可以使经验带上条理性、综合性，上升成为理论，然后才可以不把局部经验误认为即是普遍真理，才可不犯经验主义的错误。"①

2. 从理性认识到革命实践。从感性认识能动地发展到理性认识，认识运动还没有完结。马克思主义哲学认为十分重要的问题，不在于懂得了客观世界的规律性，因而能够解释世界，而在于拿了这种对于客观规律性的认识去能动地改造世界。理论是重要的，"没有革命的理论，就不会有革命的运动"②。马克思主义之所以看重理论，正是也仅仅是因为它能够指导行动。"如果有了正确的理论，只是把它空谈一阵，束之高阁，并不实行，那末，这种理论再好也是没有意义的。认识从实践始，经过实践得到了理论的认识，还须再回到实践去。认识的能动作用，不但表现于从感性的认识到理性的认识之能动的飞跃，更重要的还须表现于从理性的认识到革命的实践这一个飞跃。抓着了

---

① 《毛泽东选集》第3卷，人民出版社1991年版，第818—819页。

② 《列宁全集》第2卷，人民出版社1984年版，第443页。

世界的规律性的认识，必须把它再回到改造世界的实践中去，再用到生产的实践、革命的阶级斗争和民族斗争的实践以及科学实验的实践中去。”①因为只有经过从理性认识到新的实践的飞跃，才能检验认识是否具有真理性。理论是否符合实际，在由感性到理性的认识运动中没有完全解决，也不可能完全解决。要完全解决这个问题，只有把理性认识运用于社会实践，把理论应用于实践，看它是否能够达到预想的目的。只有经过从理性认识到新的实践的飞跃，才能在总结新的实践经验的基础上使认识得到补充、完善、丰富和发展。许多理论没有完全反映客观实际，其真理性是不完全的，必须经过实践检验而纠正其不完全性。许多理论是错误的，必须经过实践检验而纠正其错误。许多理论是不完备的，必须经过实践，总结概括实践经验，以丰富发展这种理论。只有经过从理性认识到新的实践的飞跃，才能达到认识的目的。人类认识客观世界，并非为认识而认识，而从根本上来说，是为了认识客观实际、客观规律，用以指导改造客观世界，使客观事物发生既合规律又合目的的变化，以满足人类生存发展的需要。改造客观世界，满足实现生存发展需要，这个目的只有将对于客观事物规律性认识的理论运用于指导现实实践，才能够达到。

而要实现第二次飞跃，还必须把理论理性转化为实践理性。毛泽东所说的思想、理论是理论理性，路线、方针、政策、计划、方案、办法是实践理性。只有把理论理性进一步变成实践理性，并抓好贯彻落实，才能实现好由理论、理性认识到实践的飞跃，达

---

① 《毛泽东选集》第 1 卷，人民出版社 1991 年版，第 292 页。

到改造世界的目的。实践理性是按照客观规律、客观条件以及主体的利益建构起来的。但无论是客观事物的规律，还是人们的利益诉求，都是非常复杂的。我们在建构实践理性时，既要全面地认识、把握事物的复杂规律系统，又要正确地反映、处理各种利益关系。无论是对客观规律的认识出了偏差，还是对各种利益关系处理不当，都会导致实践理性的错误，并进而导致实践的失败。如果一项实践失败了，既要看思想、理论有没有问题，也要看计划、方案、方法、途径有没有问题。同时，还要看是不是落到了实处。要实现好这两个飞跃，是一个复杂而困难的过程，往往要不断地试错，经历许多挫折、失败，才能最终取得成功。毛泽东说："原定的思想、理论、计划、方案，部分地或全部地不合于实际，部分错了或全部错了的事，都是有的。许多时候须反复失败过多次，才能纠正错误的认识，才能到达于和客观过程的规律性相符合，因而才能够变主观的东西为客观的东西，即在实践中得到预想的结果。"①

3. 认识的选择与建构。人的认识是能动的。人们并不是被动地、无选择地面对所有的客体和吸收来自客体的全部信息，而总是根据自己的需要、利益、动机、目的而关注一些事物、忽略一些事物，总是选择一些信息、忽略一些信息。如果没有选择和注意，就不可能有认识。人们在经过实践获得了大量的感性材料之后，就要对其进行筛选、整理、分析、综合，发现各种事物、现象、过程之间的内部联系，揭示事物的规律，形成新的思想、理论和观念，并且根据对于事物的本质和规律的认识以及对于人的

---

① 《毛泽东选集》第1卷，人民出版社1991年版，第294页。

需要、利益的认识，在观念中预先设想出实践的结果，构建实践的蓝图，作为行动的向导。毛泽东强调要正确认识中国革命规律，并据此制定中国革命的战略策略，尖锐批判脱离中国国情、不研究中国革命规律，单凭主观愿望去指导中国革命的主观主义者。他说："一个中国的马克思主义者，如果不懂得从改造中国中去认识中国，又从认识中国中去改造中国，就不是一个好的中国的马克思主义者。马克思说人比蜜蜂不同的地方，就是人在建筑房屋之前早在思想中有了房屋的图样。我们要建筑中国革命这个房屋，也须先有中国革命的图样。不但须有一个大图样，总图样，还须有许多小图样，分图样。而这些图样不是别的，就是我们在中国革命实践中所得来的关于客观实际情况的能动的反映""我们的老爷之所以是主观主义者，就是因为他们的一切革命图样，不论是大的和小的，总的和分的，都不根据于客观实际和不符合于客观实际。他们只有一个改造世界或改造中国或改造华北或改造城市的主观愿望，而没有一个像样的图样，他们的图样不是科学的，而是主观随意的，是一塌胡涂的。老爷们既然完全不认识这个世界，又妄欲改造这个世界，结果不但碰破了自己的脑壳，并引导一群人也碰破了脑壳。老爷们对于中国革命这个必然性既然是瞎子，却妄欲充当人们的向导，真是所谓'盲人骑瞎马，夜半临深池'了。"①

选择和建构在认识中的作用是非常关键的。但我们要从事实的整体上，从它们的联系中去掌握事实；而不是为了证明某种先入之见去零碎地和随意地挑选事实；建构必须以事实为根据，

① 《毛泽东文集》第2卷，人民出版社1993年版，第344页。

以对于客体尺度和主体尺度的认识为基础，而不是脱离客观实际而主观任意地虚构。正如恩格斯在《反杜林论》中所说的那样："如果我把鞋刷子综合在哺乳动物的统一体中，那它决不会因此就长出乳腺来。"①

（三）真理发展的规律

真理是一个发展过程。真理是客观事物及其规律在人们头脑中的正确反映，是主观与客观相符合的认识。人类实践是总体性和具体性、历史性和绵延性的统一，人的思维是至上性与非至上性的统一。按照人类实践的本性和思维的本性，是可以在世代相续的总体性实践中认识客观事物的本质和规律，获得客观真理或绝对真理的；但人类总体性实践是由各个历史时期的具体实践构成的，人类思维的至上性是由非常不至上的各个历史时期的具体思维构成的，人类对于总体宇宙发展过程的认识是通过对于各个具体过程的认识实现的。绝对真理是由无数相对真理的总和构成的。绝对真理犹如长河，相对真理就是支流或水滴。无数相对真理的总和构成绝对真理。人类实践的每一次进步，科学技术的每一次发现，人类认识的每一次深化，都是向绝对真理趋近了一步。我们承认客观真理和绝对真理，或承认真理的客观性与绝对性，坚持物质世界的客观性、可知性以及一切从实际出发、主观符合客观的必要性，反对真理问题上的唯心论、不可知论、相对主义；同时，我们又承认真理的主观性与相

---

① 《马克思恩格斯选集》第3卷，人民出版社1995年版，第381页。

对性。真理是在人的能动创造的实践中,在主观对客观的能动反映中,在人类世代延续的具体的历史的实践中,通过无数相对真理而趋向绝对真理的,反对在真理问题上的机械论、绝对主义和终极真理论,避免把真理性认识变成脱离实践、脱离时代的凝固不变、死板僵化、永不发展的教条。

中国共产党认识中国革命和建设的规律,也要经历一个艰苦的探索过程。1962 年 1 月 30 日,毛泽东在扩大的中央工作会议上的讲话中说,从党的建立到抗日时期,中间有北伐战争和十年土地革命战争。我们经过了两次胜利、两次失败。北伐战争胜利了,但是到 1927 年,革命遭到了失败。土地革命战争曾经取得了很大的胜利,红军发展到 30 万人,后来又遭到挫折,经过长征,这 30 万人缩小到两万多人,到陕北以后补充了一点,还是不到 3 万人。我们受了那样大的挫折,吃过那样大的苦头,就得到锻炼,有了经验,纠正了错误路线,恢复了正确路线。在民主革命时期,经过胜利、失败,再胜利、再失败,两次比较,我们才认识了中国这个客观世界。在抗日时期,我们才制定了合乎情况的党的总路线和一整套具体政策。这时候,中国民主革命这个必然王国才被我们认识,我们才有了自由。到这个时候,我们已经干了 20 来年的革命。过去那么多年的革命工作,是带着很大的盲目性的。如果有人说,有哪一位同志,比如说中央的任何同志,比如说我自己,对于中国革命的规律,在一开始的时候就完全认识了,那是吹牛,你们切记不要信,没有那回事。过去,特别是开始时期,我们只是一股劲儿要革命,至于怎么革法,革些什么,哪些先革,哪些后革,哪些要到下一阶段才革,在一个相当长的时间内,都没有弄清楚,或者说没有完全弄清楚。我讲我们中国共产党人在民主革命时期艰难地但是成功地认识中国革命规律这一段历史情况的目的,是想引导同志们理解这样一件事:对于建设社会主义的规律的认识,必须有一个过程。必须从实践出发,从没有经验到有经验,从有较少的经验,到有较多的经验,从建设社会主义这个未被认识的必然王国,到逐步地克服盲目性、认识客观规律,从而获得自由,在认识上出现一个飞跃,到达自由王国。

真理同谬误相比较而存在、相斗争而发展,并且在一定条件下相互转化。真理是人们对于客观事物的正确反映,谬误则是对于事物的歪曲的反映,二者是有原则区别的。但任何真理都是对于特定对象的正确反映,都适用于一定的范围。如果把真理同它的具体对象割裂开来,超越它所适用的范围到处套用,就会把真理变成谬误。反之,当我们克服了把真理绝对化的错误,严格划定它所适用的范围,谬误就能够向真理转化。市场经济体制奉行利益原则、价值原则、竞争原则,实行市场经济体制,会提高经济运行效率。但市场经济也会发生垄断性、外部性、公共性、公平性和宏观性失灵,也有其不可避免的局限性。如果将市场经济加以泛化,将其扩展到社会生活的各个方面,就会导致灾难性的后果。相反,如果我们既要充分发挥市场在资源配置中的决定性作用,又为市场经济合理划界;既要充分发挥好政府的作用,又要依法行政,把政府的权力关在制度的笼子里,就会回归对于市场经济的作用和政府职责的正确认识。

另外,错误往往是正确的先导,如果我们不是对错误采取简单否定的态度,而是认真分析错误产生的根源,从中吸取经验教训,就会引出正确的认识。我们对于中国革命和建设规律的认识就是在总结多次胜利和多次失败的经验教训的基础上而逐步获得的。只有善于总结经验,我们才能够有所发现,有所发明,有所创造,有所前进。毛泽东自称是靠总结经验吃饭的。1965年7月27日,毛泽东在中南海接见李宗仁夫妇和李宗仁的机要秘书程思远。毛泽东询问程思远的学历和工作经历,程思远扼要地作答。在谈到美国时,程思远说毛泽东思想影响很大,美国总统肯尼迪在办公桌上也摆着一部《毛泽东选集》。一个国民党人曾说他也用毛泽东思想办事,并且把毛泽东思想概括成两句话:"调查不够不决策,条件不备不行动。"毛泽东笑了,忽然问程思远:"你知道我靠什么吃饭吗?"程思远茫然不知所以。毛泽东说,我是靠总结经验吃饭的。以前我们人民解放军打仗,在每个战役后,总来一次总结,吸取过去正反两方面的经验。发扬优点,克服缺点,然后轻装上阵,继续前进,从一个胜利走向另一个胜利,终于建立了中华人民共和国。而总结经验要及时,要持之以恒,要发扬民主,要勤于思考,要兼收并蓄,要正确对待成功与失败,要善于提升到哲学的高度,要在实践中检验通过总结经验得出的结论的正确性。

(四)认识运动的基本规律

毛泽东在《实践论》中指出:"通过实践而发现真理,又通过实践而证实真理和发展真理。从感性认识而能动地发展到理性认识,又从理性认识而能动地指导革命实践,改造主观世界和客观世界。实践、认识、再实践、再认识,这种形式,循环往复以至无穷,而实践和认识之每一循环的内容,都比较地进到了高一级的程度。”[①]这一认识运动的总规律表明:其一,实践贯穿于认识运动的全过程,实践和认识的矛盾是贯穿于整个人类认识过程的基本矛盾。其二,人的认识是从感性认识到理性认识、又从理性认识到革命实践的能动的辩证发展过程。其三,实践、认识、再实践、再认识,是一个循环往复、不断深化上升的过程。一般来说,如果人们在实践中实现了从感性认识到理性认识的飞跃,形成反映客观实际、客观过程、客观规律的思想理论,制定了计划、方案,应用于新的实践,实现了预想的目的,将思想理论与计划、方案变为现实,就完成一个具体的认识过程。但由于受主体认识能力、科学技术条件以及客观过程的发展及其表现程度的限制,人们的认识往往不深刻、不全面甚至是错误的,只有经过实践与认识的多次反复,经历多次挫折和失败,才能实现主观与客观的观念统一与现实统一。从过程的推移来看,客观事物是向前推移、发展的,人的认识也必须随之向前推移、发展。当一个客观过程从某一发展阶段向另一发展阶段推移转变,人们的主观认识、革命任务、方针政策,也必须随之转变,以适应新的情况的变化。这就是与世推移,与时偕行。若思想脱离实践、落后实际,非但不能充任社会发展的向导,反而怨恨车子走得太快,企图开倒车,这就要犯右倾机会主义的错误;若思想超越客观过程的发展阶段,把幻想看作真理,把抽象可能看作现实可能,把将来才能实现的理想勉强放在现时来做,就要犯冒险主义的错误。“不能创法,非圣人也;不能随时,非圣人也。”[②]其四,是认

① 《毛泽东选集》第1卷,人民出版社1991年版,第296—297页。

② 梁启超:《变法通议·论不变法之害》。

识世界和改造世界、改造主观世界和客观世界辩证统一的过程。认识世界和改造世界是统一的,认识世界以改造世界为基础,改造世界以认识世界为指导;认识的目的不仅在于能够解释世界,更在于改造世界。而改造世界的任务是多重的,既"改造客观世界,也改造自己的主观世界——改造自己的认识能力,改造主观世界同客观世界的关系"①。我们通过实践改造自然,创造物质财富,满足生存与发展需要;改造社会,构建促进社会进步和个性发展、民主自由、公平正义的制度体制,改造黑暗、落后的旧世界,建设进步、光明的新世界。而改造自然,需要克服自然的抵抗力;改造社会,需要克服依附于旧的制度体制的压迫者、专制者、既得利益者的抵抗与反对。而认识与实践、认识世界与改造世界的主体是人,人们在改造客观世界的过程中,认识了客观世界的规律,创造了物质财富,改革了社会制度,满足了人们追求真知、生存发展、自由民主的需要,锻炼、增强、提升了自己的主体素质能力,因而在改造客观世界的过程中人的主观世界也得到了改造。而为了更好地改造客观世界,又要自觉主动地改造自己的主观世界。这就需要有完善的知识结构,有科学的认识方法、思想方法、工作方法,有正确的价值观和高尚的道德情感,有崇高的理想和坚定的信念。而在改造客观世界和主观世界的过程中,主观世界与客观世界的关系也得到了改造。

客观世界的运动、变化、发展永无终结,人类在实践中对于客观世界的认识和改造也永无终结。"马克思列宁主义并没有结束真理,而是在实践中不断地开辟认识真理的道路。

① 《毛泽东选集》第1卷,人民出版社1991年版,第296页。

我们的结论是主观和客观、理论和实践、知和行的具体的历史的统一，反对一切离开具体历史的‘左’的或右的错误思想。”①

① 《毛泽东选集》第1卷，人民出版社1991年版，第296页。

三、《矛盾论》:实践与认识的辩证法

唯物辩证法既是作为客体的客观事物运动、变化、发展的辩证法,也是作为主体的人的实践的辩证法和认识的辩证法。它不仅是对于客观事物运动发展规律的揭示,也是对于实践规律和认识规律的揭示,是科学的思想方法和工作方法。辩证法的宇宙观,"主要地就是教导人们要善于去观察和分析各种事物的矛盾的运动,并根据这种分析,指出解决矛盾的方法"①。"对立统一的法则,是自然和社会的根本法则,因而也是思维的根本法则。"②如果说《实践论》是从认识的基础、过程、规律的维度揭示了如何做到实事求是、理论联系实际;那么,《矛盾论》则是从认识方法、实践方法的维度揭示了为什么和怎样做到实事求是、理论联系实际。教条主义分裂理论与实践,有理论而无实践,主观地、片面地、表面地看问题,不能运用马克思主义的矛盾学说客观地、全面地、具体地、发展地研究革命形势,或只看到外因而

---

① 《毛泽东选集》第1卷,人民出版社1991年版,第304页。

② 《毛泽东选集》第1卷,人民出版社1991年版,第336页。

看不到内因，只看到矛盾的普遍性而看不到矛盾的特殊性，不能辨别主要矛盾与矛盾的主要方面，或强调对立的统一，将对立统一理解为对立的和解而忽视对立的斗争，或强调对立的斗争，将对立的斗争理解为对立的对抗而否定统一，给革命事业造成重大损失。为了扫除教条主义，在《矛盾论》中，毛泽东从两种宇宙观、矛盾的普遍性、矛盾的特殊性、主要的矛盾和矛盾的主要方面、矛盾诸方面的同一性和斗争性、对抗在矛盾中的地位等方面，系统阐发了对立统一规律，为中国共产党人认识和解决中国社会与中国革命中的复杂矛盾，制定正确的战略策略，提供了科学的方法论。为了适应中国革命的需要，他又特别重视内部矛盾、特殊矛盾、主要矛盾、矛盾的主要方面以及矛盾的斗争性，体现了强烈的现实针对性和鲜明的实践特色。

（一）内因和外因的辩证法

客观世界是个什么样子？人们应当采取什么样的观点、方法去认识、把握客观世界？对于这些问题的不同回答，将哲学划分为辩证法与形而上学两种宇宙观。

“形而上学”这个词语有两种含义。一是指研究超感觉、超经验的对象，探求世界本原、规律等问题的学问。中国传统哲学把具体的、有形的、可以通过感官感知的东西称为“器”；而把超出感官的感知能力、不能靠感官加以把握、需要通过心官来思考、体察的东西称之为“道”，这就是“形而上者谓之道，形而下者谓之器。”①探讨

① 《易传·系辞上》。

“形而上”问题的哲学,就是“形而上学”,或者称之为“玄学”。

二是指与辩证法相对立的一种宇宙观。这种宇宙观用孤立的、静止的和片面的观点去看世界,把世界上的一切事物、一切事物的形态和种类,都看成是永远彼此孤立和永远不变化的。如果说有变化,也只是数量的增减和场所的变更。而这种增减和变更的原因,不在事物的内部而在事物的外部,即由于外力的推动。他们简单地从事物外部去寻找发展的原因,因而不能解释事物的质的多样性,不能解释一种质变为他种质的现象。

“辩证法”一词源于古希腊文,其本义是在论辩中揭露并克服对方论点中的矛盾以求得真理的方法。而广义的辩证法不仅指论辩方法和思维方法,更是指对于宇宙、社会、人生的运动、变化、发展的根源、本质、规律的认识和揭示,是人们认识、把握、改造世界的一种思维方式和思想方法。在哲学史上,有古代朴素辩证法、近代唯心主义辩证法以及现代的马克思主义的唯物辩证法。

古代朴素辩证法。辩证法来自现实世界和现实生活,是人们近取诸身、远取诸物的思想成果。在自然界,寒往暑来、日往月来,高岸为谷、深谷为陵;在人类社会,春耕夏耘、秋收冬藏,世事变迁、兴衰存亡。一切都在运动变化、生成死灭,“神龟虽寿,犹有竟时。螣蛇乘雾,终为土灰”①。“旧时王谢堂前燕,飞入寻常百姓家。”②这些沧海桑田、人事更替的万千变化,不禁使人兴叹、催人深思。有些唯物主义哲学家从纷繁复杂的自然现象和

① 曹操:《龟虽寿》。
② 刘禹锡:《乌衣巷》。

社会现象中，深思默会事物运动、变化、发展的原因与规律，探索天地人生的大道理。如古希腊唯物主义哲学家赫拉克利特说，世界不是任何神或任何人创造的，世界是永远在燃烧和熄灭着的火。正是由于火的变化，产生了世界万物。由火而变成土，是火的熄灭，是“向下的道路”；而由水和土变成火，则是“向上的道路”。而这一切变化都是按照必然的规律——“逻各斯”进行的。由火变成万物与由万物变成火、“向下的运动”与“向上的运动”是同时进行的，世界万物的产生与灭亡是同时发生着的。万物皆流，无物常在。世界上一切事物都处在永恒不断的变化之中，没有什么东西是静止不动的。人们是不能两次踏进同一条河流的，因为当第二次踏进这条河流时，它实际上已经不是第一次踏进的那条河流了，原来的那条河流早已变化了。而事物运动变化的根本原因，在于事物内部的矛盾，在于矛盾着的对立面的相互依存、转化与冲突、斗争。生与死、梦与醒、少与老，都始终是同一的东西，后者变化了，就成为前者；前者再变化，就成为后者。互相排斥的东西结合在一起，不同的音调造成最美的和谐；一切都是斗争所产生的。赫拉克利特将矛盾视为事物运动变化的根本原因，天才地猜测到了辩证法的根本规律，是在西方哲学史上第一个提出这种看法的人，被称作辩证法的奠基者。当然，后人将赫拉克利特的这一思想推向极端，认为人一次也不能踏入同一条河流，就陷入了相对主义的泥潭了。

古代朴素辩证法是可贵的。但由于受科学技术发展水平、社会历史条件以及认识能力的限制，这些辩证法思想往往是在经验的层面描述天地万物的变化，带有自发的、朴素的、直观的、猜测的性质。它在自己的发展过程中尽管与形而上学进行了长期的斗争,但并未从根本上战胜形而上学,反而使形而上学一度占了上风。在欧洲,从 15 世纪后半期到 18 世纪上半期,适应资本主义生产发展的需要,自然科学迅速发展,尤其是研究机械运动的力学取得了相当的发展成就。当时的自然科学家为了认识个别事物、个别领域的规律与因果联系,往往把本来相互联系的整体分割为各个部分,把本来前后相续的发展过程分割为各个阶段。这种分析方法对于克服对事物虽然是整体的但又是混沌的认识的缺陷,是有重大意义的。恩格斯曾经指出:"把自然界分解为各个部分,把各种自然过程和自然对象分成一定的门类,对有机体的内部按其多种多样的解剖形态进行研究,这是最近 400 年来在认识自然界方面获得巨大进展的基本条件。"[①]但这种研究方法,注重分析而疏于综合,注重部分而忽略整体,注重阶段而轻视过程,因而难以从总体上和过程中发现事物的本质、规律和内部联系,其所取得的研究成果是部分的、片面的、阶段的,而不是整体的、全面的,并形成了一种孤立的、静止的、片面的研究问题的思想方法。17、18 世纪欧洲的唯物主义哲学家吸取、借鉴了自然科学取得的成就,同时把注重分析而疏于综合的自然科学研究方法引入哲学,形成了机械的、形而上学的发展观。机械唯物主义企图用力学的观点解释世界上的一切,甚至认为人也是机器,只不过是比机器多了几个齿轮、几条弹簧。他们看不到人的生物学属性和社会学特点。机械唯物主义用消极、直观、被动的观点看世界,只承认物质决定精神、存在决定思维,看不到精神对于物质、思维对于存在的能动的反作用;只承

① 《马克思恩格斯选集》第 3 卷,人民出版社 1995 年版,第 359—360 页。

认人在自然界、客观规律面前的受动性，看不到人的主动性和自由创造本性，认为若承认了人的能动性，就是承认“灵魂自由”、意志自由，就陷入唯心主义；他们不了解实践在认识和改造世界过程中的作用，不了解人的认识和实践、认识世界和改造世界是一个辩证发展过程，因而也就无法科学揭示主观与客观、思维与存在之唯物而辩证的观念统一和现实统一问题。机械唯物主义在研究自然现象时，坚持了唯物主义观点；但在研究社会现象时，却无一例外地走向了历史唯心主义。他们不能理解人类社会不同于自然界的特点，不能理解社会存在与社会意识的辩证关系，不能理解社会发展的终极原因和深刻根源，将历史发展归结为人的思想动机、主观意志，社会历史发展没有规律，完全为人的主观意志特别是英雄豪杰人物所左右，为唯心主义在历史领域的存在留下了地盘。

唯心主义辩证法。18世纪末、19世纪初的德国哲学，反映资产阶级既想革命又害怕革命的矛盾心理，表现为辩证法与唯心主义的结合。康德的天体演化学说显示了事物发展变化的辩证法思想，打开了形而上学自然观的缺口。这种辩证法思想在黑格尔那里得到了系统的发展。黑格尔的巨大功绩，就是第一次把整个自然的、历史的和精神的世界描写为一个不断运动、变化、转变、发展的过程，并企图揭示这种运动发展的内在联系。然而，黑格尔的辩证法是同他的客观唯心主义结合在一起的，是唯心主义的辩证法。在他看来，在自然界和人类社会产生以前，就存在着一个“绝对精神”。发展是“绝对精神”的自我运动，自然界和人类社会都是由“绝对精神”演化而来的。黑格尔关于运动发展的思想猜测到了事物本身的辩证法，反对了形而上学；

但运动发展的主体或承载者不是物质世界,而是一种脱离自然界、人类社会和人而独立自存的精神,因而他的辩证法是唯心的、头脚倒置的。并且由于其唯心主义体系的需要,他又认为发展有终点,自己的哲学就是“绝对精神”发展的顶点,把自己的哲学看作是一个穷尽和包涵了一切真理的最终完成了的体系。他的辩证法是不彻底的,其关于事物运动发展的合理思想最终被其唯心主义体系的坚硬外壳窒息了。要克服其唯心主义体系和合理辩证法思想的矛盾,就必须打碎其唯心主义外壳,拯救其合理内核。

19 世纪 40 年代,德国资产阶级革命形势日益成熟。反映在哲学上,就是德国古典唯心主义的终结和唯物主义的兴起。作为德国资产阶级杰出唯物主义者的费尔巴哈,坚决批判传统宗教和黑格尔的唯心主义哲学,指出人和人的基础的自然是哲学的唯一的和最高的对象,自然先于精神,在人和自然之外没有独立的精神存在。宗教的本质是人的本质的异化、对象化,黑格尔哲学是神学最后的避难所。他坚决批判传统宗教,反对崇拜神,要求尊重人;批判黑格尔的唯心主义哲学,恢复唯物主义的权威。但费尔巴哈的唯物主义未能超出法国 18 世纪形而上学唯物主义的范围,他所理解的人,是抽象的生物学上的人,而不是社会的、历史的人;他不了解社会实践在认识中的作用以及主体的能动性,主张消极直观的认识论;从抽象的人性出发,将人类所谓天生追求幸福的欲望作为一切道德的基础和宗教的根源,因而陷入了历史唯心主义。费尔巴哈不理解黑格尔唯心主义辩证法的方法论意义,将黑格尔的辩证法与唯心主义一起简单地抛在一旁,而用在许多方面都比黑格尔贫乏得多的哲学来取而代之，因而也就不能从根本上克服、超越黑格尔哲学而产生划时代的结果。因为“像对民族的精神发展有过如此巨大影响的黑格尔哲学这样的伟大创作，是不能用干脆置之不理的办法加以消除的。必须从它的本来意义上‘扬弃’它，就是说，要批判地消灭它的形式，但是要救出通过这个形式获得的新内容。”①克服黑格尔哲学，拯救在唯心主义外壳遮蔽下的辩证法的合理内核，并将其建立在唯物主义基础上而获得新生，这个任务是由马克思和恩格斯完成的。

唯物辩证法。19 世纪以后，自然科学由主要是搜集材料的科学发展为整理材料的科学。细胞学说、能量守恒和转化的原理以及达尔文的生物进化论这三大发现以及自然科学的其他巨大进步，使人们不仅能够指出自然界中各个领域的过程之间的联系，而且总的说来也能指出各个领域之间的联系了，从而以近乎系统的形式描绘出一幅自然界联系的清晰图画。由英国开始的工业革命，促进了生产力的迅速发展，使资本主义的内在矛盾及其阶级表现无产阶级和资产阶级的矛盾日益尖锐；随着历史向世界历史的转变，各个国家和民族的交往在世界范围内展开，社会历史的唯物的和辩证的性质日益充分地向人们展现出来，生产的社会化与交往的普遍化也开阔了人们的眼界，使人们能够以宏大的视野观察人类历史的辩证发展过程。哲学史上唯物主义和辩证法的传统，也为创立新哲学，实现唯物论和辩证法的新的结合准备了思想条件。马克思、恩格斯正是以自然科学的新成果、社会历史的新观察以及对于黑格尔唯心辩证法的合理

① 《马克思恩格斯选集》第 4 卷，人民出版社 1995 年版，第 223 页。

内核的拯救与费尔巴哈唯物主义基本内核的批判继承,创立了辩证唯物主义和历史唯物主义,实现了唯物论和辩证法以及唯物辩证的自然界与历史观的高度统一。唯物主义和辩证法的统一,表现为二者的相互渗透、彼此贯通。马克思主义的唯物主义,在解决世界本原问题时内在地蕴涵着辩证法,把物质世界的统一视为相互联系的、无限发展的多样性的统一;马克思主义的辩证法,在解释世界"怎么样"时又始终贯穿着唯物主义,认为"事物的辩证法创造观念的辩证法"①,主观辩证法不过是客观辩证法的反映,把观察的客观性作为辩证法的第一要素。在马克思主义哲学中,唯物论与辩证法是内在统一、紧密联系的。马克思主义的唯物主义是辩证的唯物主义,马克思主义的辩证法是唯物的辩证法。若只有一个方面而没有另一个方面,只有唯物论而没有辩证法,或只有辩证法而没有唯物主义,就不是真正的马克思主义哲学;若只讲唯物论而不讲辩证法,或只讲辩证法而不讲唯物论,都会导致思想的迷误和实践的失败。

和形而上学的宇宙观相反,唯物辩证法的宇宙观用联系的、发展的、全面的观点看世界,主张从事物的内部、从一事物对他事物的关系去研究事物的发展,即把事物的发展看作是事物内部的必然的自己的运动,而每一事物的运动都和它的周围其他事物互相联系着和互相影响着。事物发展的根本原因,不是在事物的外部而是在事物的内部,在于事物内部的矛盾性。任何事物内部都有这种矛盾性,因此引起事物的运动和发展。事物内部的这种矛盾性是事物发展的根本原因,一事物与他事物的

① 《列宁全集》第55卷,人民出版社1990年版,第166页。

互相联系和互相影响则是事物发展的第二位的原因。按照唯物辩证法的观点，自然界的变化，主要是由于自然界内部矛盾的发展。社会的变化，主要是由于社会内部矛盾的发展，即生产力和生产关系的矛盾、阶级之间的矛盾、新旧之间的矛盾。由于这些矛盾的发展，推动了社会的前进，推动了新旧社会的代谢。唯物辩证法强调内因的根本性作用，把事物的发展看成是由其内部矛盾引起的必然的自己运动的过程。但它并不否定、排除外部原因的作用，而是认为任何事物都是在内因和外因的双重作用下发展变化的，但“外因是变化的条件，内因是变化的根据，外因通过内因而起作用”。毛泽东举例说，鸡蛋因得适当的温度而变化为鸡子，但温度不能使石头变为鸡子，因为二者的根据是不同的。各国人民之间的互相影响是时常存在的。在资本主义时代，特别是在帝国主义和无产阶级的时代，各国在政治上、经济上和文化上的互相影响是极其巨大的。十月社会主义革命不只是开创了俄国历史的新纪元，而且开创了世界历史的新纪元，影响到世界各国内部的变化，同样地而且还特别深刻地影响到中国内部的变化，但是这种变化是通过各国内部和中国内部自己的规律性而起的。两军相争，一胜一败，所以胜败，皆决于内因。胜者或因其强，或因其指挥无误，败者或因其弱，或因其指挥失宜，外因通过内因而引起作用。

一件事情的成败利钝，一个人的顺逆得失，总是内因在起主要作用。注重内因分析，才能发现问题的症结，找到解决问题的办法。毛泽东在《矛盾论》中论述了内因和外因的辩证法，特别强调内因、内部矛盾，将人们的眼光、注意力引向中国社会内在矛盾的分析,引向中国革命内因的研究,引向中国革命胜利与失败的内因的探索,立足于中国社会情况、中国革命实践以及中国共产党和中国人民自身的力量,反对离开中国社会、中国革命实践以及中国共产党和中国人民的主体性而空谈马克思主义、照抄照搬马克思主义的教条主义错误。我们研究事物、思考问题、制定战略、总结经验,都必须注重内因的分析。但教条主义者、机械论者、外因论者却看不到这一点,总是把挫折和失败完全归结为客观原因和外部条件。比如,西楚霸王项羽同刘邦争夺天下,兵败垓下,四面楚歌。他不认为是由于自己不能虚心纳谏、知人善任,因而刚愎自用、指挥失误,而是认为“天之亡我,非战之罪也”。中央红军第五次反“围剿”失败,主要原因是博古和李德在军事指挥上犯了严重错误,表现为进攻时的冒险主义、防御中的保守主义、突围时的逃跑主义。但在遵义会议上,他们却为反“围剿”失败进行辩护,甚至认为第五次反“围剿”之所以失败是由于敌人力量过于强大。这实际上等于拒绝承认错误、总结经验。针对博古、李德等人的错误态度,毛泽东在《哲学批注集》中写道:“‘物必先腐也,而后虫生之,人必先疑也,而后谗入之’。[①] ‘非战之罪,乃天亡我’[②]的说法是错误的。五次[反]围剿失败,敌人的强大是原因,但战之罪,干部政策之罪,外交政策之罪,军事冒险之罪,是主要原因。机会主义,是革命

---

① [宋]苏轼:《范增论》。

② 《史记·项羽本纪》记载:项羽与刘邦作战兵败被困于绝地,对随从他的骑兵说:我带兵起事八年来,打了70多仗。我所抵挡的敌人都被打垮,我所攻击的敌人无不降服,从来没有失败过,因而能够称霸,据有天下。可是如今终于被困在这里,这是上天要灭亡我,决不是作战的过错。原文为:“吾起兵至今八岁矣,身七十余战,所当者破,所击者服,未尝败北,遂霸有天下。然今卒困于此,此天之亡我,非战之罪也。”

失败的主要原因。”[①]他还举例说，面对亡国灭种的深重危机，国难之是否得救，决定于统一战线能不能发展与巩固，不决定于日本。阶级与政党之兴亡，源于其自身之条件。他认为“一个政党要引导革命到胜利，必须依靠自己政治路线的正确和组织上的巩固。”[②]我们无论是搞革命还是搞建设，都应当主要依靠自己的力量，都要着重从内因考虑问题。我们重视和借助外因这个条件，是为了促进内因的生长。一个国家的发展具有内生性，而不是从外部输入的运动。在全球化时代，我们作为后发国家，要尽快发展自己，当然需要引进资本、技术与人才，但从根本来说，需要国民的科学精神、民主意识、法制观念的养成，需要国民现代人格和现代气质的培育，需要良好的制度安排，需要自主创新能力的提高，需要内需特别是消费需求的持续增长。

（二）共性与个性的辩证法

坚持共性与个性的辩证法，是党和毛泽东反对主观主义特别是反对教条主义的经验总结。教条主义的基本特征是主观与客观相分裂、理论和实践相脱离。从认识论上说，是由于颠倒了理论与实践的关系，一切从本本出发，而不是从中国革命的实际出发。从辩证法的角度来说，是割裂了矛盾的普遍性与特殊性的相互联结，只承认矛盾的普遍性，不承认矛盾的特殊性，拒绝研究中国社会的特殊矛盾和中国革命的特殊规律，照搬照抄马

---

① 《毛泽东哲学批注集》，中央文献出版社 1988 年版，第 107 页。

② 《毛泽东选集》第 1 卷，人民出版社 1991 年版，第 303 页。

克思主义的词句、共产国际指示和俄国革命经验,结果在中国革命实践中被碰得头破血流。鉴于教条主义错误给党和红军造成的严重危害,毛泽东对于矛盾的普遍性、特殊性及其关系作了完整的科学论述。

矛盾的普遍性有两方面的意义:其一是说矛盾存在于一切事物的发展过程之中。不论是简单的运动形式,或复杂的运动形式,不论是客观现象,或思想现象,矛盾是普遍地存在着的。一切事物中包含的矛盾各方面的相互依赖和相互斗争,决定一切事物的生命,推动一切事物的发展。没有什么事物是不包含矛盾的,没有矛盾就没有世界。其二是说每一事物的发展过程中存在着自始至终的矛盾运动。在事物发展初始阶段的差异也是矛盾,这是矛盾的差别性的问题,不是矛盾的有无的问题。矛盾无处不在、无时不在,世界充满矛盾,没有矛盾就没有世界。正是事物矛盾各方面的相互依赖和相互斗争,推动了事物的发展。这是矛盾的普遍性、共性。

矛盾着的事物及其每一个侧面各有其特点,这是矛盾的特殊性。矛盾是普遍存在的,又是千差万别的。马克思主义经典作家都很重视矛盾特殊性的分析。列宁说:"马克思主义的精髓,马克思主义的活的灵魂:对具体情况作具体分析。"①马克思主义者不但要认识矛盾的普遍性,还要认识矛盾的特殊性,要懂得矛盾的普遍性始终寓于特殊性之中,只有真正把握了矛盾的特殊性,才能够揭示事物的本质,得出正确的结论。如果我们只懂得矛盾的普遍性,不懂得矛盾的特殊性,不具体地研究具体的

---

① 《列宁选集》第4卷,人民出版社1995年版,第213页。

矛盾，这样的认识就是空洞的、抽象的，是不能解决任何问题的。如果机械地、简单地照搬反映矛盾普遍性的理论，不将其与具体实际相结合，甚至会给党和人民的事业带来严重的危害。两次国内革命战争中陈独秀和王明所犯的错误，其思想根源是教条主义，这就使他们丧失了对具体矛盾进行具体分析的能力。

在矛盾的普遍性和特殊性之间，毛泽东尤其强调矛盾的特殊性。他指出："共同点与特殊点都是要紧的，而特点尤要。"① "不同质的矛盾，只有用不同质的方法才能解决"。"用不同的方法去解决不同的矛盾，这是马克思列宁主义者必须严格地遵守的一个原则"②。他在《矛盾论》中全面分析、论述了矛盾的特殊性，指出各种物质运动形式的矛盾都带有特殊性，每一物质运动形式在其发展的不同过程中的矛盾具有特殊性，同一过程中矛盾的双方各有特殊性，同一过程中不同发展阶段上的矛盾具有特殊性，同一发展阶段的矛盾双方具有特殊性，为我们科学分析和正确处理各种矛盾提供了宝贵的方法论指导。

一是要研究各个物质运动形式的矛盾的特殊性。任何运动形式内部都包含着本身特殊的矛盾。这种特殊的矛盾，构成了一事物区别于他事物的特殊的本质。对于物质的每一种运动形式，既要注意它和其他各种运动形式的共同点，更要注意它的特殊点，注意它和其他运动形式的质的区别。如果不认识矛盾的普遍性，就无从发现事物运动发展的普遍原因和普遍根据；如果不研究矛盾的特殊性，则无从确定一事物不同于他事物的特殊

---

① 《毛泽东哲学批注集》，中央文献出版社 1988 年版，第 76 页。

② 《毛泽东选集》第 1 卷，人民出版社 1991 年版，第 311 页。

本质,无从发现事物运动发展的特殊原因或特殊根据,就无从辨别事物。

二是要研究各个运动形式在各个发展过程中的矛盾的特殊性。不同质的矛盾,只有用不同质的方法才能解决。在事物发展的过程中,旧过程和旧矛盾消灭,新过程和新矛盾发生,解决矛盾的方法也因之而不同。“用不同的方法去解决不同的矛盾,这是马克思列宁主义者必须严格地遵守的一个原则。”①教条主义者不遵守这个原则,不了解诸种革命情况的区别,因而也不了解应当用不同的方法去解决不同的矛盾,而只是千篇一律地使用一种自以为不可改变的公式到处硬套,这就只能使革命遭受挫折,或者将本来做得好的事情弄得很坏。

三是要研究事物发展过程中矛盾各方面的特殊性。为了暴露事物发展过程中的矛盾在其总体上、在其相互联结上的特殊性,就是说暴露事物发展过程的本质,就必须暴露过程中矛盾各方面的特殊性。一个大的事物,在其发展过程中包含着许多矛盾。这些矛盾不但各有其特殊性,不能一律看待,而且每一矛盾的两个方面也各有特点,也不能一律看待。要了解过程中矛盾的每一方面各占何等特定的地位,各用何种具体形式和对方发生互相依存又互相矛盾的关系,在互相依存又互相矛盾中以及依存破裂后又用何种具体的方法和对方作斗争。只有了解矛盾的各方面及其特点,才能从总体上把握矛盾的特点。

四是要研究各个发展过程在其各个发展阶段上的矛盾的特殊性。毛泽东认为,事物发展过程的根本矛盾以及为根本矛盾

---

① 《毛泽东选集》第1卷,人民出版社1991年版,第311页。

所规定的过程的本质,非到过程完结之日是不会消灭的,但事物发展长过程中各个发展阶段的情形又往往是互相区别的。这是因为事物发展过程的根本矛盾的性质和过程的本质虽然没有变化,但是根本矛盾在长过程中的各个发展阶段上采取了逐渐激化的形式。并且被根本矛盾所规定或影响的许多大小矛盾,有些矛盾激化了,有些矛盾暂时地或局部地解决或缓和了,而有些矛盾又发生了,因此过程就显出阶段性来。只有注意事物发展过程中的阶段性,才能适当地处理事物的矛盾。

五是要研究各个发展阶段上的矛盾的各个方面的特殊性。不研究各个发展阶段上矛盾各个方面的特殊性,就不能了解在各个发展阶段上矛盾各方面的特殊的相互关系。

矛盾的普遍性与特殊性的区别是相对的。由于事物范围的极其广大以及发展的无限性,因而在一定场合为普遍性的东西,而在另一一定场合则变为特殊性。反之,在一定场合为特殊性的东西,而在另一一定场合则为普遍性。矛盾的普遍性与特殊性是相互联结、相互依存的,普遍性存在于特殊性之中,没有特殊性,就没有普遍性;特殊性又与普遍性相连而存在,为普遍性所制约。每一事物内部不但包含了矛盾的特殊性,而且包含了矛盾的普遍性。我们既要认识矛盾的普遍性,以发现事物运动发展的普遍的原因和普遍的根据;更要重视研究矛盾的特殊性,以发现事物运动发展的特殊原因与特殊根据,找到解决特殊矛盾的适当办法。

矛盾的普遍性和矛盾的特殊性的关系,就是矛盾的共性和个性的关系。矛盾存在于一切过程中,并贯穿于一切过程的始终,矛盾即是运动,即是事物,即是过程,也即是思想。否认事物的矛盾就是否认了一切。这是共性、绝对性。而共性包含于一切个性之中,无个性即共性。因为矛盾的各各特殊,所以造成了个性。一切个性都是有条件地暂时地存在的,所以是相对的。毛泽东指出:“这一共性个性、绝对相对的道理,是关于事物矛盾的问题的精髓,不懂得它,就等于抛弃了辩证法。”①

普遍性和特殊性、共性和个性的辩证法是马克思主义基本原理同中国实际相结合的重要哲学基础,是与教条主义进行斗争的锐利武器。而高度重视矛盾的特殊性,认清中国的特殊国情和中国社会的特殊矛盾,则是实现这一结合的关键。矛盾普遍性与矛盾特殊性辩证关系的理论,在关于对立统一规律的学说中占有极为重要的地位。正确处理矛盾普遍性与特殊性的关系,对于正确发挥马克思主义的指导作用,开辟引导中国革命走向胜利的道路,具有极为重要的意义。

(三)主次矛盾与主次矛盾方面的辩证法

研究主次矛盾和矛盾主次方面,是对于矛盾特殊性问题研究的深化。

主要矛盾是在众多矛盾中起着主导性、决定性作用的矛盾;非主要矛盾则是处于次要和服从地位的矛盾。在复杂的事物的发展过程中,有许多矛盾存在,其中必有一种是主要矛盾,由于它的存在和发展,规定或影响着其他矛盾的存在和发

① 《毛泽东选集》第1卷,人民出版社1991年版,第320页。

展。主要矛盾是事物发展的主要动力,决定和影响着事物发展的全局。为了有力地推动事物的发展,就不能把过程中的所有矛盾平均看待,必须把它们区分为主要和次要两类,并着重抓住主要矛盾。如果抓住了主要矛盾,一切问题就可以迎刃而解。只有善于找出并抓住主要矛盾,明确主攻方向、主要任务,工作才有中心,做事才有重点,才能纲举目张、事半功倍;若不懂这种方法,就会如堕烟海,找不到中心,也就找不到解决矛盾的办法。如果抓不住或有意回避主要矛盾,头痛医头、脚痛医脚,避重就轻、补苴罅漏,求得矛盾的暂时安定、平衡,而不能从根本上解决矛盾,结果是无济于事的,只能最终导致大局的溃败。

在矛盾着的两方面中,必有一方面是主要的,其他方面是次要的。矛盾主要方面是矛盾中起主导作用的方面,非主要矛盾方面则是不起主导作用的方面,事物的性质主要是由取得支配地位的矛盾的主要方面所规定的。我们决不能把过程中所有矛盾平均看待,而是必须把它们区别为主要和次要两类,并着重抓住主要的矛盾;在分析一个具体矛盾时,也不能把矛盾的各个方面平均看待,而是必须把它们区别为矛盾的主要方面和次要方面,并着重抓住矛盾的主要方面。只有这样,才能弄清矛盾的性质,抓住事物的本质,分清事情的主流。

同时我们也要看到,矛盾的主要方面和非主要方面、矛盾双方的主次地位并不是固定不变的,而是根据矛盾双方力量的增减消长而互相转化的。随着矛盾主要方面和次要方面地位的变化,事物的性质也就随着起变化。“新陈代谢是宇宙间普遍的永远不可抵抗的规律。”“任何事物的内部都有其新旧两个方面的矛盾,形成为一系列的曲折的斗争。斗争的结果,新的方面由小变大,上升为支配的东西;旧的方面则由大变小,变成逐步归于灭亡的东西。而一当新的方面对于旧的方面取得支配地位的时候,旧事物的性质就变化为新事物的性质。由此可见,事物的性质主要地是由取得支配地位的矛盾的主要方面所规定的。取得支配地位的矛盾的主要方面起了变化,事物的性质也就随着起变化。"①"世界上总是这样以新的代替旧的,总是这样新陈代谢、除旧布新或推陈出新的。"②

毛泽东在分析了主要矛盾与非主要矛盾、矛盾的主要方面与非主要方面之后总结说:"在研究矛盾特殊性的问题中,如果不研究过程中主要的矛盾和非主要的矛盾以及矛盾之主要的方面和非主要的方面这两种情形,也就是说不研究这两种矛盾情况的差别性,那就将陷入抽象的研究,不能具体地懂得矛盾的情况,因而也就不能找出解决矛盾的正确的方法。这两种矛盾情况的差别性或特殊性,都是矛盾力量的不平衡性。世界上没有绝对地平衡发展的东西,我们必须反对平衡论,或均衡论。同时,这种具体的矛盾状况,以及矛盾的主要方面和非主要方面在发展过程中的变化,正是表现出新事物代替旧事物的力量。对于矛盾的各种不平衡情况的研究,对于主要的矛盾和非主要的矛盾、主要的矛盾方面和非主要的矛盾方面的研究,成为革命政党正确地决定其政治上和军事上的战略战术方针的重要方法之一,是一切共产党人都应当注意的。"③

① 《毛泽东选集》第1卷,人民出版社1991年版,第323页。
② 《毛泽东选集》第1卷,人民出版社1991年版,第324页。
③ 《毛泽东选集》第1卷,人民出版社1991年版,第326—327页。

各种矛盾以及矛盾各方的力量是不断变化的,因而主要矛盾和非主要矛盾、主要矛盾方面和非主要矛盾方面的区分是相对的,在一定条件下是可以相互转化的。主要矛盾和非主要矛盾的转化,使事物的发展显现出阶段性的差别;而矛盾主要方面和非主要方面的转化,则使事物发生性质的变化。对于主要矛盾和矛盾主要方面的判断,关系到主要任务的确定,关系到对于事物性质的认识。在领导新民主主义革命的过程中,中国共产党人不仅要研究中国社会和中国革命的特殊矛盾,还要研究其中的主要矛盾、主要矛盾方面及其发展变化,以正确地确定革命的中心任务和战略策略。

矛盾发展不平衡理论的方法论意义,就是教导我们坚持两点论和重点论相结合的思想方法和工作方法。第一,要抓得准。我们要善于抓住主要矛盾,突出战略重点,做好中心工作,以此为枢纽推动全局的工作。要抓住主要矛盾方面,把握事物的本质和主流。毛泽东说:“多种矛盾中抓住了主要矛盾,主要矛盾中又抓住主要方面,或者说抓住了主导方面,就能把一切带动起来”①。抓住了主要矛盾和中心任务,就可以提纲挈领、全盘皆活,事半功倍;抓不住主要矛盾和中心任务,平均用力,漫无头绪,就会事倍功半;抓错了主要矛盾和中心任务,就会南辕北辙,劳而无功,导致全局工作失败。我们不能忘记经常性的工作,但必须抓住中心,防止不分轻重缓急、平均用力。第二,要抓得狠。毛泽东指出:“领导人员依照每一具体地区的历史条件和环境

① 《读斯大林〈苏联社会主义经济问题〉谈话记录》,《毛泽东读社会主义政治经济学批注和谈话》,第35页。

条件,统筹全局,正确地决定每一时期的工作重心和工作秩序,并把这种决定坚持地贯彻下去,务必得到一定的结果,这是一种领导艺术。"①第三,要顾得全。要用全面的观点看问题,把握矛盾系统中的各种矛盾以及每一个矛盾的各个方面,弄清它们之间的内在联系,以统筹兼顾、全面安排。第四,要跟得上。既要抓主要矛盾和矛盾主要方面,又要看到各种矛盾力量和矛盾双方力量的彼此消长,看到其主次地位的变化、转换,防止用机械、僵化、凝固的观点看问题,以与时偕行,积极创造条件,促进事物转化,达到革命目的。

(四)同一性和斗争性的辩证法

同一性和斗争性是矛盾的两种基本属性。毛泽东在《矛盾论》第五节"矛盾诸方面的同一性和斗争性"中,对于同一性、斗争性以及二者的关系作了精辟阐述。

同一性是指矛盾诸方面在一定条件下的互相依存、互相渗透和互相转化。"同一性、统一性、一致性、互相渗透、互相贯通、互相依赖(或依存)、互相联结或互相合作,这些不同的名词都是一个意思,说的是如下两种情形:第一、事物发展过程中的每一种矛盾的两个方面,各以和它对立着的方面为自己存在的前提,双方共处于一个统一体中;第二、矛盾着的双方,依据一定的条件,各向着其相反的方面转化。这些就是所谓同一性。"②

① 《毛泽东选集》第 3 卷,人民出版社 1991 年版,第 901 页。
② 《毛泽东选集》第 1 卷,人民出版社 1991 年版,第 327 页。

任何矛盾中的各方面是互相排斥、互相斗争、互相对立的。但矛盾着的各方面又不能孤立地存在,假如没有和它作对的矛盾的一方,它自己这一方就失去了存在的条件。没有生,死就不见;没有死,生也不见。没有上,无所谓下;没有下,也无所谓上。没有祸,无所谓福;没有福,也无所谓祸。没有顺利,无所谓困难;没有困难,无所谓顺利。矛盾着的各方面因一定的条件既互相对立,又互相联结、互相贯通、互相渗透、互相依赖。矛盾双方互为存在的条件,双方之间有同一性,因而能共处于一个统一体中。这是矛盾同一性的第一种涵义。事物内部矛盾着的两方面因为一定的条件而各向着自己相反的方面转化,这是矛盾同一性的第二种意义。“一切矛盾着的东西,互相联系着,不但在一定条件之下共处于一个统一体中,而且在一定条件下互相转化,这就是矛盾的同一性的全部意义。”①任何事物中矛盾着的诸方面都不是僵死的、凝固的,而是生动的、有条件的、可变动的、暂时的、相对的、互相转化的,“一切矛盾都依一定条件向它们的反面转化着。”“这种情况,反映在人们的思想里,就成了马克思主义的唯物辩证法的宇宙观。只有现在的和历史上的反动的统治阶级以及为他们服务的形而上学,不是把对立的事物当作生动的、有条件的、可变动的、互相转化的东西去看,而是当作死的、凝固的东西去看,并且把这种错误的看法到处宣传,迷惑人民群众,以达其继续统治的目的。共产党人的任务就在于揭露反动派和形而上学的错误思想,宣传事物的本来的辩证法,促成

① 《毛泽东选集》第1卷,人民出版社1991年版,第330页。

事物的转化,达到革命的目的。"[①]唯物辩证法所说的矛盾,是现实的矛盾、具体的矛盾,矛盾各方面的互相转化也是现实的、具体的转化。矛盾的同一性是在一定的必要的条件之下的同一性,若缺乏一定的必要的条件,就没有任何的同一性。

斗争性则是矛盾诸方面的互相排斥、互相对立和互相否定。矛盾的斗争性无处不在、无时不在,贯穿于事物发展过程的始终,并使这一过程向他过程转化。在《矛盾论》中,毛泽东还特别讲了对抗在矛盾中的地位,指出矛盾的斗争性包含着对抗,但"对抗是矛盾斗争的一种形式,而不是矛盾斗争的一切形式。"[②]"矛盾和斗争是普遍的、绝对的,但是解决矛盾的方法,即斗争的形式,则因矛盾的性质不同而不相同。有些矛盾具有公开的对抗性,有些矛盾则不是这样。根据事物的具体发展,有些矛盾是由原来还非对抗性的,而发展成为对抗性的;也有些矛盾则由原来是对抗性的,而发展成为非对抗性的。"[③]

矛盾的同一性即矛盾各方面的相互依存、相互转化是有条件的、相对的,矛盾的斗争性即矛盾各方面的相互排斥、相互对立、相互否定是无条件的、绝对的。中国古人讲"相反相成"[④],就是说相反的东西有同一性。"相反"就是说两个矛盾方面的互相排斥或互相斗争。"相成"就是说在一定条件之下两个矛盾方面互相联结起来,获得了同一性。

同一性和斗争性是相互生成、相互蕴含、相互依赖、相互规

---

① 《毛泽东选集》第1卷,人民出版社1991年版,第330页。
② 《毛泽东选集》第1卷,人民出版社1991年版,第334页。
③ 《毛泽东选集》第1卷,人民出版社1991年版,第335页。
④ 《汉书·艺文志》:"仁之与义,敬之与和,相反而皆相成也。"

定的。斗争性寓于同一性之中，如果没有同一性，各个事物不共居于一个统一体中，不会发生任何联系，因而也就没有什么斗争性；“在同一性中存在着斗争性”，矛盾着的各方面正是通过斗争而相互依存、相互转化的，“没有斗争性就没有同一性”①。“有条件的相对的同一性和无条件的绝对的斗争性相结合，构成了一切事物的矛盾运动”。矛盾着的对立面又统一、又斗争，又吸引、又排斥，又融合、又对立，由此推动事物的发展。

唯物辩证法教导我们要在对立中把握统一，在统一中看到对立。形而上学和机械论者无法将统一和斗争结合起来，或者只看到统一而否定斗争，或者只看到斗争而否定统一。王明在土地革命战争时期搞革命队伍纯粹又纯粹，革命道路笔直又笔直，一切斗争，否认联合；而在抗日战争时期，又跳到了另一个极端，搞一切联合，否认斗争，主张一切经过统一战线，一切服从统一战线，放弃党在抗日民族统一战线中的独立性和领导权。与此相反，毛泽东则主张又统一又独立，又团结又斗争，认为以斗争求团结则团结存，以妥协求团结则团结亡。毫无疑问，在新民主主义革命时期，毛泽东适应革命斗争的需要，更为强调斗争对于革命事业发展和成功的意义，认为斗争性是绝对的，同一性是相对的。在事物发展过程中虽然会有和解、妥协、调和，有停战、媾和、临时统一战线、某些合作，但这不是总战术。矛盾一般不能通过和解和妥协来解决，最后还须用革命的方法来解决，这是总战术。尽管如此，毛泽东也是非常重视同一性的作用的。他在新民主主义革命时期、社会主义改造时期和社会主义建设时

① 《毛泽东选集》第1卷，人民出版社1991年版，第333页。

期的绝大部分时间和绝大部分场合,都非常重视团结、联合、统一、依存、渗透、存异、共处,善于团结、凝聚、调动一切积极因素和力量,完成艰难困苦的事业。即使对于敌人,也要区别对待,分化瓦解,利用矛盾,团结多数,孤立少数,各个击破。我们构建社会主义和谐社会,也要坚持同一性与斗争性的辩证统一。我们不是要回避矛盾、否定斗争,而是要正视矛盾、分析矛盾、解决矛盾,通过积极正确的斗争解决矛盾,尽量增加和谐因素、努力减少不和谐因素。社会主义和谐社会的建构实际是矛盾不断发生又不断解决的过程,是通过斗争而走向和谐的过程。从一定意义上说,没有斗争,就没有和谐。但斗争不是目的,而是实现和谐的必要手段,是走向和谐的必由之路。

"斗争哲学"与"和谐哲学"对矛盾都作了片面的理解。"斗争哲学"把斗争说成是矛盾双方关系的唯一内涵,抹杀或取消了矛盾的同一性;对斗争的内涵作了狭隘的解释,将斗争等同于对抗,抹杀了斗争内容和形式的丰富性和复杂性;对斗争的结果作了片面的解释,将斗争的结果归结为誓不两立、零和博弈,一方吃掉另一方。

"和谐哲学"则认为和谐与矛盾互不相容,讲矛盾、斗争就必然破坏和谐,要和谐就不能讲矛盾、斗争。但和谐并不是没有矛盾,也不是所有的矛盾都和谐。和谐是用来指称矛盾双方相辅相成、互利共赢关系的,这种关系的出现,要看矛盾双方关系的性质、矛盾所处的外部条件以及处理矛盾的方法。"和谐哲学"否认斗争的观点之所以错误:一是把斗争的外延窄化,将斗争仅仅理解为对抗,但实际上,斗争包括对抗,但决不限于对抗。对抗是斗争的一种形式,而不是斗争的唯一形式。矛盾斗争是普遍的、绝对的，但斗争的形式则因矛盾性质的不同而不同，因而是多样化的。兵戎相见、零和博弈是斗争，讨论、谈判、协商、沟通、说服，求同存异也是斗争。二是把和谐的外延泛化，似乎不管什么性质的事物之间都可以和谐。三是把促进和实现和谐的动力片面化了，只看到了同一性的积极作用，否定了斗争性的积极作用。实际上，和谐的实现是矛盾的同一性和斗争性共同起作用的结果。和谐是我们所追求的目标之一，而要实现和谐，就不能不承认矛盾、分析矛盾、解决矛盾，不能不同时重视矛盾的同一性和斗争性两个方面，努力创造实现和谐的现实条件。

马克思主义哲学的辩证法是唯物的辩证法，坚持唯物论是坚持辩证法的前提。我们要尊重辩证法，首先要尊重唯物论。若离开唯物论讲辩证法，主观任意地运用辩证法，就会把它变成为错误的东西辩护的工具，就会走弯路、犯错误。列宁在《哲学笔记》中把“考察的客观性”①作为辩证法的第一要素，毛泽东也指出：“研究问题，忌带主观性、片面性和表面性。”所谓主观性，就是不知道客观地看问题。从本本出发，从已有的经验出发，而不是从客观存在着的矛盾出发，不能认识事物本身固有的矛盾的特殊性。矛盾是普遍的，也是客观的。我们要正确地认识矛盾和解决矛盾。某种事物包含什么矛盾，这种矛盾具有什么性质和特点，是客观事物本身所固有的，我们不能抹煞矛盾、虚构矛盾和故意制造矛盾。所谓片面性，就是不知道全面地看问题。只知其一，不知其二，只见局部，不见全体，只见树木，不见森林。

---

① 《列宁专题文集·论辩证唯物主义和历史唯物主义》，人民出版社2009年版，第139页。

不了解矛盾双方的特点,不能从总体上把握矛盾,不能找出解决矛盾的方法。所谓表面性,就是不知道本质地看问题,否认深入研究矛盾特点的必要性,粗枝大叶地看到一点矛盾的形相,就想动手去解决矛盾,这样的做法,没有不出乱子的。教条主义和经验主义者之所以犯错误,就是因为他们看事物的方法是主观的、片面的和表面的。片面性、表面性也是主观性,因为一切客观事物本来是互相联系的和具有内部规律的,若不去如实地反映这些情况,而只是片面地或表面地去看它们,不认识事物的互相联系,不认识事物的内部规律,所以这种方法是主观主义的。

马克思主义的辩证法是以唯物主义为基本前提的,如抓重点、看主流是一种重要的思想方法和工作方法。人们经常用九个指头和一个指头或者多数指头和少数指头,来比喻全局和局部、一般和个别、主流和支流的关系,强调要抓重点、看主流,不能主次颠倒、本末倒置。我们在运用这一方法时必须尊重唯物论,通过对于客观事实的科学分析来确定什么是重点和主流,不能靠主观臆断和想当然来确定重点和主流。如果脱离客观实际,离开唯物论讲辩证法,把九个指头和一个指头或者多数指头和少数指头的关系当成抽象的公式到处硬套,主观任意地认定全局和局部、主流和支流、主要和次要,就会犯主观主义的错误。对于工作中的成绩和缺点,也要进行实事求是的分析,从中吸取经验,接受教训,不能把成绩主要、缺点次要这样的公式到处硬套。唯物论和辩证法是紧密联系、相互规定的。讲唯物论不能离开辩证法,否则就会陷入机械唯物论;讲辩证法也不能离开唯物论,否则就会陷入唯心主义和相对主义。我们尊重辩证法,首先要尊重唯物论,否则,对辩证法的主观主义的运用,就会把它变成为错误的东西辩护的工具。

在《矛盾论》的最后，毛泽东得出了研究矛盾问题的基本结论："事物矛盾的法则，即对立统一的法则，是自然和社会的根本法则，因而也是思维的根本法则。它是和形而上学的宇宙观相反的。它对于人类的认识史是一个大革命。按照唯物辩证论的观点看来，矛盾存在于一切客观事物和主观思维的过程中，矛盾贯串于一切过程的始终，这是矛盾的普遍性和绝对性。矛盾着的事物及其每一个侧面各有其特点，这是矛盾的特殊性和相对性。矛盾着的事物依一定的条件有同一性，因此能够共居于一个统一体中，又能够互相转化到相反的方面去，这又是矛盾的特殊性和相对性。然而矛盾的斗争则是不断的，不管在它们共居的时候，或者在它们互相转化的时候，都有斗争的存在，尤其是在它们互相转化的时候，斗争表现得更为显著，这又是矛盾的普遍性和绝对性。当我们研究矛盾的特殊性和相对性的时候，要注意矛盾和矛盾方面的主要的和非主要的区别；当我们研究矛盾的普遍性和斗争性的时候，要注意矛盾的各种不同的斗争形式的区别。否则就要犯错误。如果我们经过研究真正懂得了上述这些要点，我们就能够击破违反马克思列宁主义基本原则的不利于我们的革命事业的那些教条主义的思想；也能够使有经验的同志们整理自己的经验，使之带上原则性，而避免重复经验主义的错误。这些，就是我们研究矛盾法则的一些简单的结论。"①

① 《毛泽东选集》第1卷，人民出版社1991年版，第336—337页。

(五)认识论、辩证法、群众观的一致性

马克思主义的认识论、辩证法、群众观是统一的,实践——认识——实践、特殊——普遍——特殊、群众——领导——群众是一致的。人类的认识是一个由实践到认识、再由认识到实践的过程,即在实践的基础上由感性认识到理性认识、再由理性认识到革命实践的过程。人类的认识也是一个由特殊到一般、再由一般到特殊的过程。人们总是先认识个别的和特殊的事物,逐步扩大到认识一般的事物;总是先认识许多不同事物的特殊本质,然后进行概括工作,认识诸种事物的共同的本质,并以关于事物的共同本质的认识为指导,进行新的实践,继续研究尚未研究或尚未深入研究的事物的特殊本质,丰富对事物共同本质的认识。由实践到认识、由认识到实践,由特殊到一般、由一般到特殊,人类认识总是这样循环往复、不断深化。教条主义不懂得只有通过实践,才能获得感性认识和理性认识;不懂得只有深入研究事物的特殊本质,才能充分认识事物的共同本质;不懂得在认识了事物的共同本质之后,还要继续研究那些尚未深入研究的事物或新事物。拒绝研究中国实际和中国革命经验,把马克思主义普遍真理看成凭空出现的、抽象的东西,不能用不同的方法解决不同的矛盾,只是用一种公式到处硬套,这就只能使革命遭受失败。

对于中国共产党人来说,我们对于中国革命、建设以及改革发展规律的认识,也是一个从群众中来、到群众中去的过程。马克思主义的认识论乃至整个马克思主义哲学都是以实践为基础

的，而人民群众是实践的主体。人民群众的实践是认识的来源、动力、目的以及检验认识是否真理的标准。同时我们也要看到，群众实践是具体的、特殊的、局部的，群众的实践经验、意见建议往往是分散的、不系统的、感性的、现象的，这就需要处于全局地位、能够通观和总揽全局的领导者对其进行分析综合、抽象概括，上升到理论的、系统的、本质与规律性认识的高度，并据此制定方针政策，宣传教育引导群众，指导群众实践，并在群众实践中检验领导意见的正确性。因此，从实践到认识、再从认识到实践，由特殊到一般、再由一般到特殊，也是一个从群众中来、到群众中去的过程。毛泽东指出："在我党的一切实际工作中，凡属正确的领导，必须是从群众中来，到群众中去。这就是说，将群众的意见（分散的无系统的意见）集中起来（经过研究，化为集中的系统的意见），又到群众中去作宣传解释，化为群众的意见，使群众坚持下去，见之于行动，并在群众行动中考验这些意见是否正确。然后再从群众中集中起来，再到群众中坚持下去。如此无限循环，一次比一次地更正确、更生动、更丰富。这就是马克思主义的认识论。"①

① 《毛泽东选集》第3卷，人民出版社1991年版，第899页。

四、《实践论》《矛盾论》的重要地位

《实践论》《矛盾论》自诞生以来,就成为中国共产党人和人民群众学习马克思主义哲学的经典教科书。如果说毛泽东思想教育了我们党几代人,《实践论》《矛盾论》在马克思主义哲学教育中对于树立科学世界观方法论则是居功至伟。

(一)开辟了马克思主义哲学中国化的新境界

《实践论》《矛盾论》不是简单复述马克思主义哲学的一般原理,而是根据马克思主义同中国实际相结合的需要,突出强调了实践在认识过程中的地位和作用,精辟论述了认识发展的辩证过程,提出了"两个飞跃"的著名论断,形成了一个完整的以实践为基础的认识论系统;集中而深刻地阐发了对立统一规律的丰富内涵,形成了分析和解决矛盾的方法论系统,从而丰富和发展了马克思主义哲学,把辩证唯物主义认识论和唯物辩证法的研究与运用提高到了新的水平。

《实践论》《矛盾论》作为中国革命基本经验的哲学总结,在理论内容上体现了马克思主义哲学的中国化；批判继承了中国传统哲学的积极成果，在思想资源上体现了马克思主义哲学的中国化；运用了老百姓喜闻乐见的语言，具有鲜明的中国特色、中国风格和中国气派，在表达形式上体现了马克思主义哲学的中国化。尤其重要的是，创造了中国化的马克思主义哲学，将马克思主义哲学与中国实际紧密联系起来：一方面使马克思主义哲学成为中国革命实践的指导思想，另一方面使中国革命实践成为马克思主义哲学实现自身、发展自身的途径，马克思主义哲学不再是一种外来的和外在的知识，而成为中国共产党和中国人民的一种思维方式和价值取向；不是一种教条，而是行动的指南，从而在理论形态和功能作用上体现了马克思主义哲学的中国化。

马克思主义在中国的传播，最先是从唯物史观开始的。随着十月革命的炮声传来的马克思列宁主义，也主要是科学社会主义特别是阶级斗争和社会革命学说。如李大钊在 1918 年 7 月发表《法俄革命之比较观》，同年 11 月、12 月发表《庶民的胜利》《Bolshevism 的胜利》，1919 年 10 月发表《我的马克思主义观》，对马克思主义的唯物史观作了系统介绍。1920 年 8 月，陈望道翻译的《共产党宣言》由社会主义研究社出版。当时，毛泽东等人也主要是接受了马克思主义的阶级斗争、社会革命、无产阶级专政学说，而走上革命道路的。然而，如果没有系统的马克思主义哲学学习，没有辩证唯物主义的立场、观点和方法，就不能运用好唯物史观来研究、解决中国的问题。因此，在土地革命战争和抗日战争时期，《反杜林论》《费尔巴哈论》《家庭、私有制和国家的起源》《自然辩证法》《资本论》《唯物主义和经验批判主义》等马克思主义经典著作以及20世纪30年代苏联的一些哲学教科书陆续翻译出版。在译介马克思主义经典著作和国外研究著作的同时，李达、艾思奇等人还做了大量著述工作，如李达的《社会学大纲》，包括唯物辩证法、历史唯物论以及社会的经济结构、政治建筑、意识形态等五个部分。该书博采众长，逻辑严密，系统完整，但从总体上说仍具有译介的性质。艾思奇1934年11月至1935年10月在《读书与生活》上连载的《哲学讲话》，1936年1月结集出版，同年6月出第4版时更名为《大众哲学》。该书吸收了苏联教科书的成果，用通俗的语言系统阐述了辩证唯物主义的基本原理，强调了感性认识与理性认识的辩证关系，指出感性认识是理性认识的基础，理性认识比感性认识深刻；反复论证实践在认识过程中的意义（实践是人类认识的基础）；精辟概括了认识的发展过程，突出了感性与理性、实践与认识的矛盾关系，从感性到理性，从理性到实践，又由实践到新的感性，走向新的理性，这种过程是无穷地连续下去，循环下去，但循环一次，我们的认识也就更丰富，所以这种循环，它永远在发展、进步，决不会停滞在原来的圈子里。① 认识的过程是由感性的认识到理性的认识，又再由理性的认识走向实践，在实践中，又再开始新的进一步的认识，这样不断地像螺旋一般地循环下去，每循环一次，我们所晓得的东西就进步一次。这就是认识的过程。② 《大众哲学》为马克思主义哲学在中国的普及作出了重要贡献。

---

① 参见《艾思奇文集》第1卷，人民出版社1981年版，第186页。

② 参见《艾思奇文集》第1卷，人民出版社1981年版，第186页。

《实践论》《矛盾论》既继承了马克思主义哲学的认识论和辩证法，充分吸取了苏联 20 世纪 30 年代哲学教科书以及国内学者的研究成果，同时紧密结合中国社会实际和中国革命实践，总结中国革命经验，进行新的理论创造。以《实践论》《矛盾论》为标志，中国马克思主义哲学进入了自我创生发展的新阶段。

一是由译介转向著述。在《实践论》《矛盾论》之前，马克思主义哲学在中国的传播主要是译介性的。《实践论》《矛盾论》虽然也担负着宣传马克思主义哲学的重要使命，并吸收了苏联 30 年代哲学教科书的一些观点，但又凝结了中国革命的经验，有自己独创性的思考和见解，结构体系自成一格，理论与语言特色鲜明，无论是在哲学基本理论上，还是对中国革命经验的总结概括上，都体现了中国共产党人的独立思考和勇于创新的主体精神。

二是由通俗普及上升到理论研究。在 20 世纪 20、30 年代，中国进步的理论工作者积极从事马克思主义哲学的普及与启蒙工作，以深入浅出、生动活泼的形式讲解马克思主义哲学，引导许多青年走上革命道路。《实践论》《矛盾论》充分体现了通俗哲学读物的优点，将深奥的哲学道理用生动的语言表述出来，从而为广大干部群众所喜闻乐见和理解实行，同时又对马克思主义认识论和辩证法作了深入研究和高度概括。1950 年 12 月《真理报》编辑部文章《论毛泽东的著作〈实践论〉》说：毛泽东的著作将“对复杂哲学问题的深刻的马克思主义分析与叙述的形象性和鲜明性结合在一起”。它对马克思主义哲学通俗化所作的努力以及对马克思主义哲学所作的深入研究，既极大地推动了哲学普及，又极大地提高了马克思主义哲学在中国的研究水平。

三是由学理层面深入到实践层面。在此之前的哲学读物基本是哲学原理的输入、通俗化和宣传普及,与中国现实和中国革命实践的联系是有限的。毛泽东兼具思想家与革命家的品格,具有理论与实践相结合的优势。他紧密联系中国革命实践研究马克思主义哲学:一方面,将中国革命经验上升到哲学高度来总结,丰富了马克思主义哲学的内涵;另一方面,又运用马克思主义哲学研究中国革命的实际问题,探索革命的正确道路,鲜明体现了马克思主义哲学实践性的特点以及理论与实践相结合的风格。

四是由日常生活上升到宏大叙事。在《实践论》《矛盾论》之前,艾思奇等人用通俗的笔法、大众化的语言、日常生活的事例来说明一些哲学道理,使读者容易理解。《实践论》《矛盾论》不仅将哲学生活化,更运用马克思主义哲学总结中国革命经验,解决中国革命实践中的重大问题,使马克思主义哲学与中国革命的伟大实践相联结,成为现代中国伟大民族民主革命和深刻社会变革的指导思想。

五是从诠释到创造。我国 20 世纪 30 年代前期出版的宣传、研究马克思主义哲学的著作,基本上是诠释型的,即使是李达的《社会学大纲》,虽然具有比较完整的理论体系和某些创新性见解,但并未从总体上超越诠释性范畴。《实践论》《矛盾论》却有重大理论创造,是中国马克思主义哲学由诠释走向创造的重要标志。

《实践论》《矛盾论》是在学习马克思主义哲学、总结中国革命经验的基础上,对于马克思主义哲学理论的深入研究、独特创造、丰富发展和系统建构，是马克思主义哲学中国化的里程碑。美国学者霍勒布尼奇在《毛泽东的唯物辩证法 》中说，《实践论》《矛盾论》不论从文体上，还是从内容方面，同马克思、恩格斯的大多数相关著作相比都不见得逊色，既丰富透彻，又短小简洁。更重要的是那样完整明晰，与《〈政治经济学批判〉序言》可相提并论。

（二）将中国传统哲学的发展推向了新的阶段

认识和实践、知和行是认识论的基本问题，也是人生论的基本问题。以经国济世、人伦日用为取向的中国传统哲学，更是把知行关系作为核心问题之一。中国传统哲学中关于知行关系的论争，主要有以下几个方面：

其一是知行难易问题。《古文尚书》讲“非知之艰，行之惟艰”[①]。人们认识一个事物、懂得一个道理并不难，难的是把它付诸实施。治国理政的原则、方针、政策是知；贯彻这些原则、方针、政策则是行。“非知之艰，行之惟艰”，意在强调行的艰难和重要性，要求知而必行，反对坐而论道、只说不做。孙中山不仅强调行的重要性，主张先有事实后有理论，只有行才能知；而且强调知的重要性，为了反对轻视理论作用的倾向，同时也为了激励革命者的斗志，增强革命者的信心，一反“知易行难”的思想传统，明确主张“行之非艰，而知之惟艰”，提出了“行易知难”的学说。他用饮食、用钱、作文、建屋、造船、开河、电学、化学和进

① 《古文尚书·说命中》。

化等十事作为“知难行易”的证明。如饮食，是人们日常生活中易做之事，但要了解食物化学结构、生理学、卫生学、烹调技术等原理，则不是容易的事；用钱是人们交易买卖活动中的习惯之事，但要了解经济学、银行学、货币学就不容易，劳动是创造价值的唯一源泉，货币的实质是“本于人工”，金钱不过是一种交换手段。他重视信念、信心、信仰对于激发革命斗志、取得革命成功的作用，指出“政治之隆污，系乎人心之振靡。吾心信其可行，则移山填海之难，终有成功之日；吾心信其不可行，则反掌折枝之易，亦无收效之期也。”①孙中山强调“知难”，意在表明认识的艰巨和重要，只有在行的基础上将认识提高到科学的水平，创立了正确的理论和方法，并以此为指导，人类才会进步，革命才能发展。孙中山强调“行易”，意在破除“知之非艰、行之惟艰”的旧观念，鼓舞国人特别是革命党人坚定理想，树立信心，增强斗志，百折不挠，为建设一个为民所有、为民所治、为民所享的政治修明、人民安乐的国家而奋斗。

其二是知行先后问题。是先知后行，还是先行后知？南宋理学家朱熹主张知先行后，认为“圣贤教人，必以穷理为先，而力行以终之”②。但知与行又是相互依赖、相互启发的，不能将知和行的先后次序绝对化，不能强调一定要“知至而后可行”。清初的王夫之则主张行先知后，不是从行中得到的知是缺乏根据的，不是真正的知识。

其三是知行（本末）轻重问题。是以知为本、重知轻行，还

① 孙中山：《建国方略·孙文学说》。

② ［宋］朱熹：《答郭希吕》，《朱子文集》卷54。

是以行为本、重行轻知，抑或知行并重。中国古代的思想家基本上都是重行论者。孔子重行，他说："君子耻其言而过其行。"[①]"君子欲讷于言而敏于行"[②]。荀子讲"不闻不若闻之，闻之不若见之，见之不若知之，知之不若行之，学至于行而止矣。……故闻之而不见，虽博必谬；见之而不知，虽识必妄；知之而不行，虽敦必困"[③]。朱熹也说："致知力行，论其先后，固当以致知为先，然论其轻重，则当以力行为重"[④]。

其四是知行分合问题。是知行相分，还是知行合一，抑或知行并进。明代的王阳明主张知行合一，反对将知和行截然分开或悬空思索或盲目行动的弊端，希望把对于道德的知和行完全统一起来。"知之真切笃实处即是行，行之明觉精察处即是知"[⑤]。清初唯物主义哲学家王夫之认为，知与行相互渗透、相互包含，知中有行，行中有知，不能说一件事是知而非行，一件事是行而非知。但不能以行代替知，也不能以知代替行。

中国哲学史上的知行观，主要是将行理解为人伦日用和道德践履，没有将行理解为改造主观世界和客观世界的实践，因而未能彻底解决知行统一问题。20 世纪 30 年代国内外的一些马克思主义哲学著作或教科书，按照感性认识（感觉、知觉、表象）、理性认识（概念、判断、推理）、理论思维方法（归纳和演绎、分析和综合、抽象和概括、逻辑和历史）的顺序讲认识论，只是

---

① 《论语·宪问》。

② 《论语·里仁》。

③ 《荀子·儒效》。

④ ［宋］朱熹：《答程正思》，《朱子文集》卷 50。

⑤ ［明］王守仁：《答顾东桥书》，《传习录》中。

在讲真理标准时谈到实践，并没有将认识和实践、知和行作为认识论的一对基本矛盾来论述，没有把实践作为认识论的基础来看待。毛泽东继承和发展了马克思主义认识论，批判总结了中国思想史上的知行观，超越了当时的一些教科书体系，根据中国革命实践的需要，抓住认识和实践这一基本矛盾，阐述了以实践为基础的认识的辩证发展过程和根本规律，科学地解决了主观与客观、理论与实践、知与行的具体的历史的统一问题，从而发展了马克思主义哲学认识论，同时实现了中国哲学史上知行学说的根本转变，使其达到了一个新的高度和新的阶段。

中国传统哲学肯定矛盾存在的普遍性，“天地万物之理，无独必有对”①；矛盾着的对立面是相互依存的，“有无相生，难易相成，长短相形，高下相倾，音声相和，前后相随”；矛盾着的对立面相感相应、相摩相荡，引起矛盾双方地位的交替流转以及天地万物的无穷变化，“天地之德不易，天地之化日新”②；事物由内部矛盾引起运动、变化、发展，事物的变化发展是一个由微而著、由潜而显、由细到大的过程，而一个事物若发展到极致，就会带来相反的结果，就会向自己的对立面转化，此即“祸兮福之所倚，福兮祸之所伏”③，“反者道之动”④。《易经》的乾卦就描述了这样一个过程。

初九：潜龙勿用。

九二：见龙在田，利见大人。

---

① 《二程遗书》卷十一。

② 王夫之：《思问录·内篇》。

③ 《老子》五十八章。

④ 《老子》四十章。

九三：君子终日乾乾，夕惕若厉，无咎。

九四：或跃在渊，无咎。

上九：亢龙有悔。

中国传统哲学具有辩证法与形而上学的二重性，它虽然承认运动、变化、发展，但并不盛赞、肯定、喜爱运动、变化、发展；它深思、研究发展与转化，并非为了促成这种发展与转化，而是阻止这种发展与转化，维护固有的秩序与稳定。它承认局部的、具体的、暂时的变化，但认为天地大道从根本、全体、长久的意义上说，是不变不动的，这就是"道之大原出于天，天不变，道亦不变。"①传统哲学以维护原有整体的平衡与秩序的稳定为目的，而不是以整体变革与秩序重建为目的，强调统一而贬抑斗争，强调稳定而贬抑转化，强调奉常而贬抑变革，从而最终走向否定斗争、转化、变革的矛盾定位论、矛盾调和论和天道不变论。如老子看到强则折、壮则老，事物发展到极致就会向自己对立面转化，而"曲则全，枉则直，洼则盈，敝则新，少则得，多则惑。是以圣人抱一为天下式。不自见，故明；不自是，故彰；不自伐，故有功；不自矜，故长。夫唯不争，故天下莫能与之争。"②因而主张贵柔守雌、与世无争、以全生保身。北宋哲学家张载也说："有象斯有对，对必反其为，有反斯有仇，仇必和而解"③。毛泽东阐述了作为唯物辩证法实质与核心的对立统一规律的丰富内涵，为正确地看待矛盾、分析矛盾和解决矛盾，促成事物的转化，达到革命的目的，提供了科学的态度、观点和方法。可以说，《实

① 董仲舒：《举贤良对策》，见《汉书·董仲舒传》。

② 《老子》二十二章。

③ 张载：《正蒙·太和》。

践论》与《矛盾论》既显示了毛泽东哲学思想与中国传统哲学的联系，又标志着对于中国传统哲学中的认识论和辩证法思想的超越与创造性转换。

（三）为党的思想路线奠定了哲学基础

党的思想路线是党的生命线。在党的思想路线中，内涵着一切从实际出发，理论联系实际，实事求是，在实践中检验真理和发展真理等基本观点与方法。它要求我们不能从抽象的定义和主观愿望出发，而是必须从客观存在的事实出发，按照实际情况决定工作方针。要求我们不能把马克思主义当作教条，而是把它作为行动的指南，把马克思主义基本原理同中国实际结合起来，独立自主地探索适合中国国情的革命和建设道路。要求我们从“实事”中求“是”，而不是自以为是；要求真务实，不能弄虚作假；要做老实人，说老实话，办老实事，不能图虚名而招实祸。要求我们在实践中认识真理、检验真理和发展真理，而不是将主观愿望、条条框框作为真理的尺度。《实践论》科学回答了如何实现主观和客观、理论和实践、知和行的具体的历史的统一问题；《矛盾论》科学回答了为何和如何实现马克思主义基本原理与中国实际相结合、研究和解决中国社会与中国革命的复杂矛盾、制定中国革命的正确战略、引导中国革命走向胜利的问题。《实践论》与《矛盾论》既为确立党的思想路线奠定了哲学基础，又为坚持和贯彻党的思想路线指明了方向，提供了方法。

五、在新的实践中坚持和发展《实践论》《矛盾论》

毛泽东一贯强调既要坚持马克思主义哲学，又要根据新的实践丰富和发展马克思主义哲学。1960年初，他在读苏联《政治经济学（教科书）》时说：“马克思这些老祖宗的书，必须读，他们的基本原理必须遵守，这是第一。但是，任何国家的共产党，任何国家的思想界，都要创造新的理论，写出新的著作，产生自己的理论家，来为当前的政治服务，单靠老祖宗是不行的。……我们在第二次国内革命战争末期和抗战初期写了《实践论》、《矛盾论》，这些都是适应于当时的需要而不能不写的。现在，我们已经进入社会主义时代，出现了一系列的新问题，如果单有《实践论》、《矛盾论》，不适应新的需要，写出新的著作，形成新的理论，也是不行的。”①毛泽东从不认为自己的思想是终极真理，总是不断进行艰辛的哲学探索，一直希望适应新的需要，形成新的理论，指导新的实践。他写了《论十大关系》和《关于

① 《毛泽东文集》第8卷，人民出版社1999年版，第109页。

正确处理人民内部矛盾的问题》等重要著作，精辟阐述了社会主义建设过程中的诸多重大关系以及社会主义社会的矛盾问题。此外，毛泽东在一些哲学问题上也提出了一些真知灼见：(1)提倡“两条腿走路”，注意对立面的统一与结合，防止形而上学的片面性。(2)提出了总的量变过程中有许多部分质变的思想。(3)提出了自觉地掌握和利用规律需要一个过程的思想。规律开始总是少数人认识，后来才是多数人认识。就是对少数人来说，也是从不认识到认识，也要经过实践和学习的过程。只有经过胜利和失败的反复比较，才能逐步使自己的认识合乎规律。认识规律之所以是一个过程，是因为本质、规律是隐藏在现象后面的，人们只有通过反复的实践和思考，才能使本质、规律逐步显露出来。(4)号召大兴调查研究之风，向群众寻找真理。认为做好工作有三条：一要情况明，二要决心大，三要方向对。情况明是一切工作的基础。情况不明，一切无从说起。要情况明，必须调查研究。(5)论述了自由与必然的辩证关系，指出自由是对必然的认识和对客观世界的改造。(6)提出了“物质变精神、精神变物质”的著名论断。(7)提出了“一分为二”的观点。认为任何事物、任何过程都有矛盾，都可以一分为二。不仅资产阶级同无产阶级一分为二，无产阶级也一分为二，有共产党，有社会民主党。共产主义运动也势必一分为二，从来就是一分为二的。由于受主客观条件的限制，毛泽东未能实现系统建构关于社会主义建设的哲学的宏愿。

以《实践论》《矛盾论》为代表的毛泽东哲学思想，是指导中国革命走向胜利的锐利思想武器，也是建设中国特色社会主义的锐利思想武器。改革开放以来，我们党坚持解放思想，实事求是，与时俱进，求真务实，坚持把马克思主义基本原理与中国实际相结合，走自己的路，建设中国特色社会主义，实现了马克思主义与中国实际相结合的第二次飞跃，创立了中国特色社会主义理论，开辟了中国特色社会主义道路。在新的历史条件下，我们既要坚持运用《实践论》《矛盾论》所昭示的马克思主义哲学的基本观点方法，又要联系新的实际，结合新的实践，总结新的经验，丰富、发展马克思主义哲学。

（一）坚持实践第一的观点

实践观点是马克思主义认识论乃至整个马克思主义哲学的基本观点。在新的实践中坚持和发展《实践论》和《矛盾论》，就要坚持实践第一的观点，以寻根溯源、九死未悔的精神追求真理，以踏石留印、抓铁有痕的精神抓好落实。

清谈误国，实干兴邦，是古今中外历史经验的深刻总结；求真务实，经世致用，是中国传统文化的基本精神。东汉末年至两晋，政局动荡，社会混乱。文人士大夫对繁琐的两汉经学、怪诞的谶纬神学、腐朽的三纲五常深感厌倦，转而寻找新的心灵安顿之所，醉心于清谈玄道，热衷于有无、生死、动静、名教自然等形而上问题的辩论。玄虚空洞的清谈无益于国计民生，两晋之亡乃亡于清谈。王羲之认为“虚谈废务，浮文妨要，恐非当今所宜”①。东晋学者范宁严厉斥责清谈之风，甚至认为何晏、王弼

① 见《世说新语·言语》。

之罪深于桀、纣。明末清初的大思想家顾炎武指出:“刘石乱华,[1]本于清谈之流祸,人人知之。孰知今日之清谈,有甚于前代者。昔之清谈谈老庄,今之清谈谈孔孟。……以明心见性之空言,代修己治人之实学,股肱惰而万事荒,爪牙亡而四国乱,神州荡覆,宗社丘墟!昔王衍妙善玄言,自比子贡,及为石勒所杀,将死,顾而言曰:‘呜呼!吾曹虽不如古人,向若不祖尚浮虚,勠力以匡天下,犹可不至今日!’今之君子得不有愧乎其言。”[2]鉴于清谈误国的历史教训,顾炎武主张经国济世,重视实学实功,反对清谈浮论。他说:“君子之为学,以明道也,以救世也。徒以诗文而已,所谓雕虫篆刻,亦何益哉?”[3]

追求真理、服膺真理,重视实践、务求实效,是马克思主义认识论的内在精神。实践观点是马克思主义的基本观点,以广大人民群众为主体的社会实践,是社会发展进步的基石和根本动力。马克思主义强调实践在整个人类认识过程中的地位和作用,指出实践不仅是认识的来源和认识发展的动力,更是认识的目的和检验认识是否具有真理性的标准。要在实践的基础上获得真知,要通过实践将理论的精神力量化为改造客观世界的物质力量。认识本质、把握规律的最终目的,是指导实践、改造世界。马克思主义主张理论与实践、知与行、求真与务实的统一

① 公元308年(永嘉二年)刘渊称帝,建都平阳,国号汉。山西、河北一带的各族胡人以及汉族,纷纷响应。此时晋朝的内讧仍未停止。永嘉六年(312年)刘聪攻陷洛阳,纵兵烧掠,俘掳晋怀帝。刘石之乱时石勒一度攻破豫州、江夏,势力范围西及南阳,北据淮汝,南抵长江。太兴四年(321年)祖逖病死,石勒又攻占河南。中原遭刘石之乱,人民之荡析离居者,十室而九。

② 顾炎武:《夫子之言性与天道》,《日知录》卷七。

③ 顾炎武:《与人书》二十五,《亭林文集》卷四。

论。马克思主义的认识论是知行统一论，坚持求真与务实、认识世界与改造世界的有机统一，是马克思主义认识论的实质、真谛。

坚持实践第一的观点，就要坚持理论与实践的统一，既要在实践中检验理论、创新理论、发展理论，又要用新的理论创新成果指导新的实践；坚持感性与理性的统一，既要重视实践经验，又要重视理论武装，反对经验主义和教条主义；坚持真理原则和价值原则的统一，既要把握客观规律，又要反映人民利益，按照实际情况和民心民意考虑问题、制定政策；坚持理论理性和实践理性的统一，既要精通马克思主义理论，又要运用马克思主义理论，把马克思主义理论化为方针政策、战略策略、措施办法，变成广大群众的自觉行动，从而使理论真正落到实处，发挥其改造客观世界的作用；坚持改造主观世界与改造客观世界的统一，在改造客观世界的过程中改造主观世界，用改造主观世界的成效促进对于客观世界的改造；坚持继承与发展的统一，既要坚持马克思主义基本理论、立场、观点和方法，坚持被实践证明了的行之有效的科学的制度、体制、机制、做法，又要与时偕行，创造新的理论、制度、体制、做法；坚持主观能动性与客观规律性的统一，既要充分发挥主观能动性，积极认识，努力实践，反对消极无为和随波逐流，又要敬畏规律，敬畏民心，不可违逆规律、漠视民意而任意妄为；坚持真理的绝对性与相对性的统一，既要承认世界的可知性和真理的客观性，又要承认真理的具体性、历史性和过程性，反对真理问题上的绝对主义和相对主义。

在中国这样一个东方大国进行社会主义建设与改革，充满挑战，前无古人，必须坚持实践第一的观点，在实践中认识规律、获得真知,在实践中探索前进、开拓新路。摸着石头过河,是富有中国特色、符合中国国情的改革办法。摸着石头过河就是摸规律,从实践中获得真知。摸着石头过河和加强顶层设计是辩证统一的,推进局部的阶段性改革开放要在加强顶层设计的前提下进行,加强顶层设计要在推进局部的阶段性改革开放的基础上来谋划。既要加强宏观思考和顶层设计,更加注重改革的系统性、整体性、协同性,也要继续鼓励大胆试验、大胆突破,不断深入推进改革开放。改革开放初期,需要摸着石头过河;当前和今后的改革,仍然要继续摸着石头过河。我们要在实践中开创新路、积累经验,将在实践中的好思路、好经验概括、提升到理论的层面,将在实践中的好做法、好方式提升、定型到制度、体制、机制的层面。我们要从实践中发现问题,在实践中探寻规律,在总结概括实践经验的基础上创新理论、规划战略、制定政策,防止只凭本本、主观愿望、好恶兴趣做事情,防止只靠拍脑袋做决策、拍胸脯做保证。要确立实践作为检验真理唯一标准的最高权威,在实践中检验理论主张、战略策略、方针政策的正确性。

坚持实践第一的观点,就要坚持求真务实,在实践中认识世界、求得真知,在实践中改造世界、求得实效。求真务实,对于永葆党的生机活力,对于党和人民事业的兴旺发达,具有决定性的意义。早在民主革命时期,毛泽东就号召全党把革命气概和实际精神结合起来,实事求是,力戒空谈,要当老实人,说老实话,做老实事。在改革开放和社会主义现代化建设的新时期,邓小平强调要真抓实干,坚决制止热衷于做表面文章、不讲实际效果的形式主义,杜绝说大话、空话、假话的恶习。江泽民反复强调实干兴邦，空谈误国。领导干部要重实际、说实话、务实事、求实效，脚踏实地、埋头苦干，不说空话，不做表面文章，不搞花架子。胡锦涛强调求真务实是马克思主义一以贯之的科学精神，是中国共产党的思想路线的核心内容，也是中国共产党的优良传统和共产党人应该具备的政治品格。求真务实是党的活力之所在，也是党和人民事业兴旺发达的关键之所在。求真务实坚持得好，党和国家就充满朝气与活力，党和人民的事业就能顺利发展；否则，党和国家就缺乏朝气和活力，党和人民的事业就受到挫折。在新的历史条件下，面对复杂多变的国际环境，面临艰巨繁重的国内建设任务，中国共产党要肩负起自己的历史使命，领导人民推动科学发展，促进社会和谐，实现经济社会全面、协调、可持续发展和人的全面发展，夺取全面建成小康社会新胜利；要坚持立党为公、执政为民，保持党同人民群众的血肉联系，切实把最广大人民的根本利益实现好、维护好、发展好；要全面推进党的建设新的伟大工程，加强党员干部队伍建设，始终保持先进性与纯洁性，提高党的执政能力，都必须大力弘扬求真务实精神、大兴求真务实之风。不断求我国社会主义初级阶段基本国情之真，务坚持长期艰苦奋斗之实；求社会主义建设规律和人类社会发展规律之真，务抓好发展这个党执政兴国的第一要务之实；求人民群众的历史地位和作用之真，务发展最广大人民根本利益之实；求共产党执政规律之真，务全面加强和改进党的建设之实。

党的十八大以来，以习近平同志为核心的党中央坚持实践第一、实事求是，强调要“讲实话，干实事，敢作为，勇担当，言必信，行必果”；强调严以修身，严以用权，严以律己，谋事要实，创业要实,做人要实。实事求是,是马克思主义的根本观点,是中国共产党人认识世界、改造世界的根本要求,是我们党的基本思想方法、工作方法、领导方法。不论过去、现在和将来,我们都要坚持一切从实际出发,理论联系实际,实事求是,在实践中检验真理和发展真理。坚持实事求是,就要深入实际了解事物的本来面貌,发现事物的本质、规律、内部联系,按照客观规律办事。要坚定实事求是的信念,增强实事求是的本领,时时处处把实事求是牢记于心、付之于行。坚持实事求是,就要清醒认识和正确把握我国社会主义初级阶段的基本国情,牢牢立足社会主义初级阶段这个最大实际,充分体现这个基本国情的必然要求,坚持一切从这个基本国情出发推进改革发展、制定方针政策。坚持实事求是,就要为了人民利益坚持真理、修正错误,使我们的思想和行动更加符合客观规律、符合时代要求、符合人民愿望。坚持实事求是,就要在实践的基础上不断推进理论创新,运用理论创新的成果指导实践。我们要认真研究解决全面深化改革、推进中国特色社会主义的伟大实践提出的新问题,深刻总结概括全面深化改革、推进中国特色社会主义的伟大实践创造的新经验,不断开辟马克思主义中国化的新境界;运用马克思主义中国化的新成果指导新的实践,不断开创中国特色社会主义事业发展的新局面。

(二)坚持矛盾分析的方法

唯物辩证法要求我们从内因和外因、共性和个性的统一观察事物、研究问题和解决问题。在新的实践中坚持和发展《实践论》和《矛盾论》，就要坚持矛盾分析的方法，以“打铁还需自身硬”的精神练内功，以“四个自信”的执着干事业。

1. 坚持内因与外因的辩证法，既要重视外因、外部条件，更要重视内因、内部条件，着重从中国国情出发考虑问题、制定政策，着重从思想理论、理想信念、作风能力等方面加强党的建设

中国有句俗话：“打铁还需自身硬，绣花要得手绵巧。”意思是说，作为一个铁匠，要打出坚固耐用的铁器，必须有过硬的体力、技术；作为一名绣工，要绣出美丽的图案，必须要有灵活灵巧的手。我们要改造客观世界，必须认识客观世界，按照客观规律办事。而要认识世界和改造世界，必须具有良好的主体素质，其中包括坚定的理想信念、完善的知识结构、科学的思想方法、正确的价值观念以及良好的素质能力。为了提高认识世界和改造世界的本领，就必须高度重视学习与实践。

习近平同志在兼任中央党校校长期间，反复强调学习对于坚定理想信念，树立正确的世界观、人生观、价值观，提高素质能力的重要性。在中央党校2009年春季学期开学典礼上，要求“领导干部要爱读书读好书善读书”。在2012年秋季开学典礼上专门讲党校学习，指出领导干部抽一段时间到党校学习有利于补充和丰富知识，有利于总结和提高，有利于相互交流和学习。党校学习的主要任务，就是通过学习提高领导干部的政治水平和理论水平，把思想统一到党的路线方针政策上来，更加自觉地维护党的统一。领导干部进党校，最重要的是学习党的基本理论，提高理论素养，切实解决好理想信念和思想作风问题。各级领导干部要坚持不懈地学习党的基本理论，努力掌握马克思主义立场、观点、方法，增强坚持中国特色社会主义道路、理论

体系、制度的自觉性坚定性。要坚持不懈地学习党的优良传统和优良作风，牢固树立正确的世界观、权力观、事业观。要抓好能力培训，注意学习、培养正确认识客观事物、做好领导工作所必须具有的辩证思维、战略思维、全局思维、创新思维的能力。我们要全面建成小康社会和实现社会主义现代化，有许多重大问题需要进行战略谋划。领导干部一定要努力提高领导水平和领导能力，增强工作的原则性、系统性、预见性、创造性。要坚持理论联系实际，将学习与应用、改造客观世界与改造主观世界很好地结合起来，学以致用、用以促学。一方面，要把学习党的基本理论、基本路线、基本纲领、基本经验同全面建设小康社会和社会主义现代化建设的实践紧密联系起来，从理论与实践的结合上研究和解决改革发展稳定中的重大问题，提高运用党的基本理论解决实际问题的能力，不断拓宽领导工作思路，推动经济社会又好又快发展。另一方面，要把学习党的基本理论同增强党性锻炼结合起来，紧密联系自己的思想实际自觉加强思想修养，始终坚守中国共产党人应该具有的精神境界和道德情操。

2012 年 11 月，党的十八大提出了建设学习型、服务型、创新型马克思主义执政党的重大任务。2013 年 3 月 1 日，习近平总书记在中央党校建校 80 周年庆祝大会暨 2013 年春季学期开学典礼上的讲话，再次讲学习问题，强调全党同志一定要善于学习，善于重新学习。他指出，事业发展没有止境，学习就没有止境。重视学习，加强学习，是推动党和人民事业实现大发展大进步的重要经验。我们要认识新的形势、解决新的问题、完成新的任务，唯一的途径就是加强学习，增强本领，既要把学到的知识运用于实践，又要在实践中增长解决问题的新本领。实现党的十八大提出的各项目标任务,应对复杂多变的国际形势,把握改革发展稳定大局,做好方方面面的工作,对我们的本领提出了新的要求。如果不抓紧增强本领,就会出现“本领恐慌”,就难以胜任领导改革开放和社会主义现代化建设的繁重任务。很多同志虽然有做好工作的愿望和干劲,但缺乏做好工作的本领,面对新情况新问题,由于不懂规律、不懂门道、缺乏知识、缺乏本领,还是习惯于用老思路老套路来应对,蛮干盲干,结果是虽然做了工作,有时做得还很辛苦,但不是不对路子,就是事与愿违,甚至搞出一些南辕北辙的事情来。这就叫新办法不会用,老办法不管用,硬办法不敢用,软办法不顶用。全党同志特别是各级领导干部,都要有本领不够的危机感,都要努力增强本领,都要一刻不停地增强本领。只有全党本领不断增强了,“两个一百年”的奋斗目标才能实现,中华民族伟大复兴的“中国梦”才能梦想成真。本领并非天生,只能通过学习和实践来获得。只有加强学习,才能增强工作的科学性、预见性、主动性,才能使领导和决策体现时代性、把握规律性、富于创造性,避免陷入少知而迷、不知而盲、无知而乱的困境,才能克服本领不足、本领恐慌、本领落后的问题。

我们正在从事的中国特色社会主义事业伟大而波澜壮阔,我们的学习应该是全面的、系统的、富有探索精神的,既要抓住学习重点,也要注意拓展学习领域;既要向书本学习,也要向实践学习;既要向人民群众学习,向专家学者学习,也要向国外有益经验学习。学习有理论知识的学习,也有实践知识的学习。首先,要认真学习马克思主义理论,这是我们做好一切工作的看家本领,也是领导干部必须普遍掌握的工作制胜的看家本领。

只有学懂了马克思列宁主义、毛泽东思想、邓小平理论、“三个代表”重要思想、科学发展观，领会了贯穿其中的马克思主义立场、观点、方法，才能心明眼亮，才能深刻认识和准确把握共产党执政规律、社会主义建设规律、人类社会发展规律，才能始终坚定理想信念，才能在纷繁复杂的形势下坚持科学指导思想和正确前进方向，才能带领人民走对路，才能把中国特色社会主义不断推向前进。其次，要学习党的路线方针政策和国家法律法规，这是领导干部开展工作要做的基本准备，也是很重要的政治素养。再次，要认真学习党史、国史，知史爱党，知史爱国。要了解我们党和国家事业的来龙去脉，汲取我们党和国家的历史经验，正确了解党和国家历史上的重大事件和重要人物。这对正确认识党情、国情十分必要，对开创未来也十分必要，因为历史是最好的教科书。复次，要结合工作需要学习经济、政治、历史、文化、社会、科技、军事、外交等方面的知识，不断提高知识化、专业化水平，努力使自己真正成为行家里手、内行领导。最后，学习各种文史知识、中国优秀传统文化以及世界上不同民族的历史文化，以学益智，以学修身。而学习的目的全在于运用。领导干部加强学习，根本目的是增强工作本领、提高解决实际问题的能力。要发扬理论联系实际的马克思主义学风，学以致用、用以促学、学用相长、学思并重、知行统一。要把学习作为一种追求、一种爱好、一种健康的生活方式，做到好学乐学。要潜心学习，学懂弄通，持之以恒，积少成多、聚沙成塔，积跬步以至千里。总之，好学才能上进。中国共产党人依靠学习走到今天，也必然要依靠学习走向未来。我们的干部要上进，我们的党要上进，我们的国家要上进，我们的民族要上进，就必须大兴学习之风，坚持学习、学习、再学习，坚持实践、实践、再实践。

2. 坚持普遍性与特殊性、共性与个性的辩证法，敢于承认矛盾，勇于揭露矛盾，科学分析矛盾，正确解决矛盾；把社会主义基本原则和普遍价值同中国国情和独特价值结合起来，增强中国特色社会主义的理论自信、道路自信、制度自信和文化自信

中国特色社会主义也是共性与个性、普遍与特殊的统一。社会主义的本质规定是共性、普遍、一般，中国特色是个性、特殊、个别；社会主义规定着中国特色，中国特色体现着社会主义。中国特色社会主义应具有社会主义的一般特征和规定性，若没有这些一般特征和规定性，拒斥社会主义的共同价值，就不是社会主义；社会主义一般特征和规定性，必须与国情、世情、党情、民情结合，否则，就走不出符合实际的社会主义建设道路，社会主义就不能落地生根。我们既要坚持社会主义的共同价值，又要凸显社会主义的中国特色，勇于承担起立足中国国情实现社会主义共同价值的历史责任。

2013 年 1 月 5 日，习近平在新进中央委员会的委员、候补委员学习贯彻党的十八大精神研讨班开班式上的讲话中指出，邓小平同志开创了中国特色社会主义，第一次比较系统地初步回答了在中国这样经济文化比较落后的国家如何建设社会主义、如何巩固和发展社会主义的一系列基本问题，用新的思想观点，继承和发展了马克思主义，开拓了马克思主义新境界，把对社会主义的认识提高到新的科学水平。中国特色社会主义，是科学社会主义理论逻辑和中国社会发展历史逻辑的辩证统一，是根植于中国大地、反映中国人民意愿、适应中国和时代发展进步要求的科学社会主义，是全面建成小康社会、加快推进社会主

义现代化、实现中华民族伟大复兴的必由之路。中国特色社会主义是社会主义而不是其他什么主义，科学社会主义基本原则不能丢，丢了就不是社会主义。历史和现实都告诉我们，只有社会主义才能救中国，只有中国特色社会主义才能发展中国，这是历史的结论、人民的选择。

中国特色社会主义是社会主义一般原则、本质规定与中国国情、时代特点相结合的产物，是科学社会主义的基本理论原则与中国社会发展的历史规律的统一。马克思主义的科学社会主义揭示了人类社会发展的一般规律，是普遍的真理；同时，马克思主义的科学社会主义又是通过各个国家的具体实践而展现和实现的，是随着时代、实践和科学的发展而不断发展的，是在人民群众的实践中前进的。我们既要始终坚持马克思主义的科学社会主义的基本原理，又要充分发挥历史的主动性和创造性，紧密结合世情、国情、民情、党情和时代特征，以逢山开路、遇河架桥的精神，锐意进取，大胆探索，全面深化改革开放，不断有所发现、有所创造、有所前进，不断推进理论创新、实践创新、制度创新，使中国特色社会主义制度越来越成熟，理论越来越完善，道路越走越宽广。

习近平在纪念毛泽东诞辰120周年座谈会上的讲话中强调指出，不论过去、现在和将来，我们都要把国家和民族发展放在自己力量的基点上，坚持民族自尊心和自信心，坚定不移走自己的路。在中国这样一个人口众多和经济文化落后的东方大国进行革命和建设的国情与使命，决定了我们只能走自己的路。站立在960万平方公里的广袤土地上，吸吮着中华民族漫长奋斗积累的文化养分，拥有13亿多中国人民聚合的磅礴之力，我们走自己的路，具有无比广阔的舞台，具有无比深厚的历史底蕴，具有无比强大的前进定力。中国人民应该有这个信心，每一个中国人都应该有这个信心。我们要坚持中国的事情必须由中国人民自己作主张、自己来处理。世界上没有放之四海而皆准的具体发展模式，也没有一成不变的发展道路。历史条件的多样性，决定了各国选择发展道路的多样性。人类历史上，没有一个民族、没有一个国家可以通过依赖外部力量、跟在他人后面亦步亦趋实现强大和振兴。那样做的结果，不是必然遭遇失败，就是必然成为他人的附庸。我们党在领导革命、建设、改革的长期实践中，历来坚持独立自主开拓前进道路，这种独立自主的探索和实践精神，这种坚持走自己的路的坚定信心和决心，是我们党全部理论和实践的立足点，也是党和人民事业不断从胜利走向胜利的根本保证。我们要坚定不移走中国特色社会主义道路，既不走封闭僵化的老路，也不走改旗易帜的邪路。我们要增强政治定力，增强道路自信、理论自信、制度自信、文化自信。我们要根据形势任务发展变化，通过全面深化改革，不断拓展中国特色社会主义道路，不断丰富中国特色社会主义理论体系，不断完善中国特色社会主义制度，不断发展中国特色社会主义文化。我们要虚心学习借鉴人类社会创造的一切文明成果，但我们不能数典忘祖，不能照抄照搬别国的发展模式，也绝不会接受任何外国颐指气使的说教。

共产主义是马克思主义建立在人类社会发展规律基础之上的崇高理想，中国特色社会主义是中国共产党人立足中国实际而实践科学社会主义理论的历史与现实选择，是立足社会主义初级阶段的国情追求共产主义远大理想的必然选择，是向共产主义崇高理想迈进的必经阶段。中国特色社会主义体现了科学社会主义基本原理与中国国情的有机结合,体现了科学社会主义的共性与个性、普遍与特殊、一般与个别的统一。共产党员特别是党员领导干部要做共产主义远大理想和中国特色社会主义共同理想的坚定信仰者和忠实践行者。我们既要坚定走中国特色社会主义道路的信念,也要胸怀共产主义的崇高理想,矢志不渝贯彻执行党在社会主义初级阶段的基本路线和基本纲领,做好当前每一项工作。革命理想高于天。没有远大理想,不是合格的共产党员;离开现实工作而空谈远大理想,也不是合格的共产党员。衡量一名共产党员、一名领导干部是否具有共产主义远大理想,是有客观标准的,那就要看他能否坚持全心全意为人民服务的根本宗旨,能否吃苦在前、享受在后,能否勤奋工作、廉洁奉公,能否为理想而奋不顾身去拼搏、去奋斗、去献出自己的全部精力乃至生命。一切迷惘迟疑的观点,一切及时行乐的思想,一切贪图私利的行为,一切无所作为的作风,都是与此格格不入的。

3. 把握基本矛盾,抓住主要矛盾,关注重大矛盾,兼顾其他矛盾,把改革、发展、和谐、稳定各项工作有机统一起来

马克思主义的唯物史观,特别是关于社会基本矛盾的学说,是全面深化改革的深刻理论依据。创立唯物史观,是马克思对于人类思想史的伟大贡献。马克思从现实的人及其活动出发考察历史,认为“有生命的个人的存在”是全部人类历史的第一个前提。人们为了创造历史,必须能够生活。为了生活,就必须进行物质生活资料的生产。物质生产是人类的第一个历史活动,是一切历史的基本条件,是社会发展的根本动因。人类社会的

一切经济关系、政治关系、社会关系、思想文化关系，都是在物质生产的基础上建构起来的，并随着物质生产的发展而发展。马克思在《〈政治经济学批判〉导言》中说："人们在自己生活的社会生产中发生一定的、必然的、不以他们的意志为转移的关系，即同他们的物质生产力的一定发展阶段相适合的生产关系。这些生产关系的总和构成社会的经济结构，即有法律的和政治的上层建筑竖立其上并有一定的社会意识形式与之相适应的现实基础。物质生活的生产方式制约着整个社会生活、政治生活和精神生活的过程。不是人们的意识决定人们的存在，相反，是人们的社会存在决定人们的意识。社会的物质生产力发展到一定阶段，便同它们一直在其中运动的现存生产关系或财产关系（这只是生产关系的法律用语）发生矛盾。于是这些关系便由生产力的发展形式变成生产力的桎梏。那时社会革命的时代就到来了。随着经济基础的变更，全部庞大的上层建筑也或慢或快地发生变革。"①马克思指出了生产关系与生产力、上层建筑与经济基础的矛盾是人类社会的基本矛盾，生产力决定生产关系进而决定上层建筑，生产力的发展决定生产关系和上层建筑的变革。人类为了自己的生存发展，必须不断进行物质生产；而为了创造更多的物质财富，又必须发展科学技术，改进生产方式，提高劳动者素质，从而推动生产力的整体进步。而生产力的发展又要求先进的生产关系和政治的、社会的、思想文化的关系与之相适应。社会基本矛盾的辩证运动既为新旧社会形态的更替提供了必然性与合理性，也为同一社会形态、同一社会制度的

① 《马克思恩格斯选集》第2卷，人民出版社1995年版，第32—33页。

调整、改革、健全、完善提供了必然性与合理性。

社会主义社会的基本矛盾及其特点为全面深化改革提供了必要性与可能性。社会主义社会的基本矛盾仍然是生产关系与生产力、上层建筑与经济基础的矛盾。社会主义社会的这些矛盾,同旧社会的生产关系和生产力的矛盾、上层建筑和经济基础的矛盾具有根本不同的性质。社会主义的生产关系和上层建筑是基本适合生产力发展和经济基础完善的要求的。但社会主义的一些具体制度还不完善,这些不完善的环节和方面同生产力发展和经济基础完善的要求又是相矛盾的。由于社会主义的基本矛盾是在基本适应条件下的非对抗性矛盾,是在人民群众根本利益一致基础上的矛盾,因而可以通过社会主义制度的自我调整和自我完善得到解决。

我们要用唯物而辩证的观点观察、认识、处理社会主义社会的基本问题。毛泽东在《矛盾论》中从社会基本矛盾的主要方面和非主要方面相互转化,论证生产关系与上层建筑变革对于生产力发展与经济基础完善的决定性作用。他说:“生产力和生产关系的矛盾,生产力是主要的;理论和实践的矛盾,实践是主要的;经济基础和上层建筑的矛盾,经济基础是主要的:它们的地位并不互相转化。这是机械唯物论的见解,不是辩证唯物论的见解。诚然,生产力、实践、经济基础,一般地表现为主要的决定的作用,谁不承认这一点,谁就不是唯物论者。然而,生产关系、理论、上层建筑这些方面,在一定条件下,又转过来表现其为主要的决定的作用,这也是必须承认的。当着不变更生产关系,生产力就不能发展的时候,生产关系的变革就起了主要的决定的作用。当着如同列宁所说‘没有革命的理论,就没有革命的运动'[①]的时候,革命理论的创立和提倡就起了主要的决定的作用。当着某一件事情(任何事情都是一样)要做,但是还没有方针、方法、计划或政策的时候,确定方针、方法、计划或政策,也就是主要的决定的东西。当着政治文化等等上层建筑阻碍着经济基础的发展的时候,对于政治上和文化上的革新就成为主要的决定的东西了。我们这样说,是否违反了唯物论呢?没有。因为我们承认总的历史发展中是物质的东西决定精神的东西,是社会的存在决定社会的意识;但是同时又承认而且必须承认精神的东西的反作用,社会意识对于社会存在的反作用,上层建筑对于经济基础的反作用。这不是违反唯物论,正是避免了机械唯物论,坚持了辩证唯物论。"[②]在生产关系与生产力的矛盾、上层建筑与经济基础的矛盾之间,生产力、经济基础,一般地表现为起主要的决定的作用。而在一定条件之下,生产关系、上层建筑又转过来表现为起主要的决定的作用。当不变更生产关系,生产力就不能发展的时候,生产关系的变更就起了主要的决定的作用。当政治文化等等上层建筑阻碍经济基础完善时,对于政治和文化的革新就成为主要的决定的东西了。我们既要从总的历史发展中,从根源、基础的意义上肯定生产力对于生产关系、经济基础对于上层建筑的决定作用,又要从影响、条件和主要矛盾方面转化的意义上肯定生产关系的变革对于生产力发展、上层建筑变革对于经济基础完善的决定性的反作用。而在社会基

① 见列宁《俄国社会民主党人的任务》(《列宁全集》第2卷,人民出版社1984年版,第443页);并见列宁《怎么办?》第一章第四节(《列宁全集》第6卷,人民出版社1986年版,第23页)。

② 《毛泽东选集》第1卷,人民出版社1991年版,第325—326页。

本矛盾的辩证运动中,生产力是最革命的因素,是社会发展的最终决定力量。生产关系与上层建筑的变革都是由生产力的发展所引起,并为生产力的进一步发展创造经济关系、政治关系和思想文化关系的条件。早在新民主主义革命时期,毛泽东就指出:“中国一切政党的政策及其实践在中国人民中所表现的作用的好坏、大小,归根到底,看它对于中国人民的生产力的发展是否有帮助及其帮助之大小,看它是束缚生产力的,还是解放生产力的。”①解放和发展生产力,也是建设中国特色社会主义的根本任务。如果我们承认了生产力对于社会发展的最终决定性意义,也就必然承认生产力标准的根本性,承认为了发展生产力而进行经济、政治、社会、思想文化等各个领域、各个方面改革的必然性与必要性。而能否顺应生产力发展的要求进行改革,是衡量一个政党是否先进的根本尺度,也是一个政党能否得到人民拥护的决定性因素。

我国社会主义初级阶段的制度现状决定了改革的必要性与迫切性。20 世纪 50 年代中期,我们党领导人民完成了社会主义改造,建立了社会主义基本制度。1978 年党的十一届三中全会开启了改革开放的历史进程,我们党领导人民锐意进行制度改革与创新,不断完善中国特色社会主义制度。中国特色社会主义制度把根本政治制度、基本政治制度同基本经济制度以及各方面体制机制等具体制度有机结合起来,坚持把国家层面民主制度同基层民主制度有机结合起来,坚持把党的领导、人民当家作主、依法治国有机结合起来,符合我国国情,集中体现了中

① 《毛泽东选集》第 3 卷,人民出版社 1991 年版,第 1079 页。

国特色社会主义的特点和优势，是中国发展进步的根本制度保障。我们要有充分的制度自信，旗帜鲜明地坚持这一制度；同时，也要有清醒的制度自省，充分认识到我们的制度尚不完善，还需要不断改革、创新、发展。习近平在中共中央政治局第十一次集体学习时强调，坚持和发展中国特色社会主义，必须不断适应社会生产力发展调整生产关系，不断适应经济基础发展完善上层建筑。我们提出进行全面深化改革，就是要适应我国社会基本矛盾运动的变化来推进社会发展。社会基本矛盾总是不断发展的，所以调整生产关系、完善上层建筑需要相应地不断进行下去。改革开放只有进行时、没有完成时，这是历史唯物主义态度。我们要以更大的决心、魄力、毅力全面深化改革，不断完善、发展中国特色社会主义制度体系，更加有力地促进科学发展、社会公正、政治民主、人民幸福。

我国仍处于并将长期处于社会主义初级阶段。在社会主义初级阶段，我国社会的主要矛盾是人民群众日益增长的物质文化需要同落后的社会生产之间的矛盾。经过改革开放近 40 年的发展，我国社会生产力水平明显提高；人民生活显著改善，对美好生活的向往更加强烈，人民群众的需要呈现多样化多层次多方面的特点，期盼有更好的教育、更稳定的工作、更满意的收入、更可靠的社会保障、更高水平的医疗卫生服务、更舒适的居住条件、更优越的环境、更丰富的精神文化生活。党的十八大以来，在新中国成立特别是改革开放以来我国发展取得重大成就的基础上，党和国家事业发生历史性变革，我国发展站到了新的历史起点上，中国特色社会主义进入了新的发展阶段。我们要牢牢把握社会主义初级阶段这个最大国情，牢牢立足社会主义初级阶段这个最大实际，更准确地把握我国社会主义初级阶段不断变化的特点，坚持党的基本路线，坚持以经济建设为中心，大力发展生产力，为当代中国的进步发展，为社会的全面进步，为民生的改善，为促进人的全面发展，奠定坚实的物质基础；同时，又要高度重视经济社会发展过程中出现的其他矛盾和问题，促进和实现经济与社会、城市与乡村、国内发展与对外开放以及人与自然不协调的矛盾与问题的不断化解和解决，实现经济与社会发展相协调、城乡发展相协调、国内发展与对外开放相协调以及人与自然的和谐共生，更好实现各项事业全面发展，更好推动人的全面发展、社会全面进步，更好发展中国特色社会主义事业。

在全面深化改革的过程中，我们也要坚持统筹兼顾的辩证法，整体谋划，协同推进，重点突破。经过近 40 年的改革，我国初步建立了社会主义市场经济体制。当前，我国的改革进入了攻坚期和深水区，改革的复杂性、艰巨性前所未有，制约科学发展的体制机制障碍仍然很多，人民群众对于解决深层次矛盾和问题充满期待。解决前进中的矛盾和问题，实现经济社会持续健康发展，关键在于改革；深化改革，仍然任重道远。改革是一项系统工程，是经济体制改革、政治体制改革、文化体制改革、社会体制改革、生态文明体制改革协调配合、整体推进的过程。全面深化改革，完善和发展中国特色社会主义制度，必须更加注重改革的系统性、整体性、协同性，加快发展社会主义市场经济、民主政治、先进文化、和谐社会、生态文明，让一切劳动、知识、技术、管理、资本的活力竞相迸发，让一切创造社会财富的源泉充分涌流，让发展成果更多更公平惠及全体人民。要注重各项改革相互促进、良性互动，注重改革整体推进、重点突破，形成推进改革开放的强大合力。要在深刻总结实践经验、深入进行调查研究的基础上进行科学的顶层设计，要在顶层设计的框架下推进局部性、阶段性改革。如果没有顶层设计，改革就会短期化、碎片化，补苴罅漏，不成系统；没有具体制度的安排，改革就会浮萍无根、浮光掠影，流于形式。

改革是全面的，又是有重点的。有重点才有政策，没有重点就没有政策。我们既要总揽全局，又要突出重点。只有抓住重点，才能总揽全局；如果丢掉了重点，就丢掉了全局。全面深化改革的重点是什么？《中共中央关于全面深化改革若干重大问题的决定》（以下简称《决定》）指出：全面深化改革，必须立足于我国长期处于社会主义初级阶段这个最大实际，坚持发展仍是解决我国所有问题的关键这个重大战略判断，以经济建设为中心，发挥经济体制改革牵引作用，推动生产关系同生产力、上层建筑同经济基础相适应，推动经济社会持续健康发展。

全面深化改革的重点是经济体制改革，经济体制改革的核心问题是处理好政府和市场的关系，使市场在资源配置中起决定性作用和更好发挥政府作用。我们党对于市场与政府的关系以及市场与政府作用的认识，经历了一个逐步深化的过程。传统的观念认为，市场经济是资本主义特有的东西，计划经济才是社会主义经济的基本特征。党的十一届三中全会以来，随着改革的深入，我们逐步摆脱了这种观念，形成了新的认识，对推动改革和发展发挥了重要作用。党的十二大提出计划经济为主，市场调节为辅；十二届三中全会指出商品经济是社会经济发展不可逾越的阶段，我国社会主义经济是公有制基础上的有计划的商品经济；十三大提出社会主义有计划商品经济的体制应该是计划与市场内在统一的体制；十三届四中全会提出建立适应有计划商品经济发展的计划经济与市场调节相结合的经济体制和运行机制。1992年初，邓小平同志进一步指出，计划经济不等于社会主义，资本主义也有计划；市场经济不等于资本主义，社会主义也有市场。计划和市场都是经济手段。计划多一点还是市场多一点，不是社会主义与资本主义的本质区别。党的十四大提出我国经济体制改革的目标是建立社会主义市场经济体制，要使市场在社会主义国家宏观调控下对资源配置起基础性作用，使经济活动遵循价值规律的要求，适应供求关系的变化；通过价格杠杆和竞争机制的功能，把资源配置到效益较好的环节中去，并给企业以压力和动力，实现优胜劣汰；运用市场对各种经济信号反应比较灵敏的优点，促进生产和需求的及时协调。同时也要看到市场有其自身的弱点和消极方面，必须加强和改善国家对经济的宏观调控。我们要大力发展全国的统一市场，进一步扩大市场的作用，并依据客观规律的要求，运用好经济政策、经济法规、计划指导和必要的行政管理，引导市场健康发展。这一重大的理论创新，从根本上解除了把计划经济和市场经济看作属于社会基本制度范畴的思想束缚，使我们在计划与市场关系问题上的认识有了新的重大突破，对我国改革开放和经济社会发展发挥了极为重要的作用。

党的十四大以来的20多年间，我们党一直根据实践拓展和认识深化，寻找政府和市场新的科学定位。党的十五大强调“坚持和完善社会主义市场经济体制，使市场在国家宏观调控下对资源配置起基础性作用”；党的十六大提出“在更大程度上发挥市场在资源配置中的基础性作用”;党的十七大提出“从制度上更好发挥市场在资源配置中的基础性作用”;党的十八大提出“更大程度更广范围发挥市场在资源配置中的基础性作用”。党的十八届三中全会通过的《决定》在理论上对政府和市场的关系进一步作出定位,把市场在资源配置中的“基础性作用”修改为“决定性作用”。

经济发展就是要提高资源尤其是稀缺资源的配置效率,以尽可能少的资源投入生产尽可能多的产品、获得尽可能大的效益。市场决定资源配置是市场经济的一般规律,市场经济本质上就是市场决定资源配置的经济,市场是配置资源最有效率的形式。健全社会主义市场经济体制必须遵循这条规律,着力解决市场体系不完善、政府干预过多和监管不到位问题。“使市场在资源配置中起决定性作用”的新定位,有利于树立关于政府和市场关系的正确观念,有利于转变经济发展方式,有利于转变政府职能,有利于抑制消极腐败现象。

我国社会主义市场经济体制已经基本建立起来,但仍存在不少问题,主要是市场秩序不规范,以不正当手段谋取经济利益的现象广泛存在;生产要素市场发展滞后,要素闲置和大量有效需求得不到满足并存;市场规则不统一,部门保护主义和地方保护主义大量存在;市场竞争不充分,阻碍优胜劣汰和结构调整。这些问题不解决,就难以形成完善的社会主义市场经济体制。

在现代市场经济体系中,政府和市场相互关联、相辅相成、缺一不可。政府是经济管理和调控主体,市场是配置各类经济资源的基础环节,是产权产品和其他要素交换活动的中介。政府行为往往表现为经济管理和宏观调控,市场功能往往表现为供求、价格自发调节和自由竞争。市场经济体制奉行利益原则、价值原则、竞争原则，实行市场经济体制，会提高资源配置和经济运行效率。市场在资源配置中起决定性作用，并不是起全部作用。我们既要看到市场在资源配置中的作用是决定性的，又要清醒认识市场的垄断性、外部性、公平性、公共性、宏观性失灵的问题，市场不是万能的，也有其不可避免的局限性。

政府和市场的关系，决定着市场经济体制的基本走向和运行质量。发展社会主义市场经济，既要发挥市场作用，也要发挥政府作用，为从根本上保证经济效率、保证社会公平、维护经济社会安全、增强社会凝聚力，还必须发挥好政府的作用。我国实行的是社会主义市场经济体制，我们仍然要坚持发挥我国社会主义制度的优越性、发挥党和政府的积极作用。全会《决定》对更好发挥政府作用提出了明确要求，强调科学的宏观调控，有效的政府治理，是发挥社会主义市场经济体制优势的内在要求。全会《决定》对健全宏观调控体系、全面正确履行政府职能、优化政府组织结构进行了部署，强调政府的职责和作用主要是保持宏观经济稳定，加强和优化公共服务，保障公平竞争，加强市场监管，维护市场秩序，推动可持续发展，促进共同富裕，弥补市场失灵。

健全社会主义市场经济体制，必须着力解决市场体系不完善、政府干预过多和监管不到位问题，充分发挥市场在资源配置中的决定性作用。全会《决定》明确指出必须积极稳妥从广度和深度上推进市场化改革，大幅度减少政府对资源的直接配置，推动资源配置依据市场规则、市场价格、市场竞争实现效益最大化和效率最优化。

政府与市场已经跳了两个世纪的双人舞,这是一场复杂的双人舞,他们的角色不时发生转换,其影响范围有时扩大、有时缩小。合理定位政府与市场,是经济体制改革必须处理好的一个重要问题。如果政府管理和调控的范围、力度超过了维持市场机制正常运行的合理需要,或干预的方向不对路,其结果就会抑制市场机制的正常运作。发展社会主义市场经济,关键是寻求政府行为和市场功能的最佳结合点,使政府行为在调节经济、弥补市场功能失灵的同时,避免和克服自身的缺位、越位、错位。更好发挥政府作用,是为市场的有效运行建立一个好的制度环境和提供市场所无法提供的公共产品,而不是用政府的强制力量去驾驭市场、压抑市场和取代市场。

全面深化改革,就要厘清政府与市场的关系,进一步明确政府与市场的边界。市场经济的主体是企业,政府的职能主要是为市场主体服务,通过保护市场主体的合法权益,维护公平的市场竞争,激发社会成员创造财富的积极性。政府要加强发展战略、规划、政策、标准等制定和实施,加强市场活动监管,加强各类公共服务提供。加强中央政府宏观调控职责和能力,加强地方政府公共服务、市场监管、社会管理、环境保护等职责。各级政府对那些不该管或者管不好的事情,要坚决放手,对那些应该管又没有管或者没管好的事情要坚决管好,真正做到有所为、有所不为。

4. 坚持同一性和斗争性的辩证法,科学认识和正确发挥同一与斗争的作用,实现人与人之间的和谐、人与自然之间的和谐以及人与自身的和谐

同一性与斗争性作为矛盾的两种基本属性,在事物发展过

程中均发挥着重要的作用。马克思主义的唯物辩证法作为人类最高智慧的结晶，作为最完备的、毫无片面性的学说，它既承认统一，亦承认斗争；既承认融合，亦承认对立；既承认稳定与平衡，又承认变动和非平衡。马克思在《哲学的贫困》一书中提出了这样一个重要命题："两个相互矛盾方面的共存、斗争以及融合成一个新范畴，就是辩证运动。谁要给自己提出消除坏的方面的问题，就是立即切断了辩证运动。"①在马克思看来，共存与斗争是矛盾的固有属性，通过共存、斗争而走向融合是辩证运动的实质。如果只看到事物的共存性而否定其斗争性，只肯定共存对于事物存在与发展的意义，而否定斗争对于事物存在与发展的意义，将斗争视为一种坏的东西而试图否认它、消除它，也就否定了辩证运动，违背了辩证法，陷入了形而上学的片面性。马克思主义的唯物辩证法作为指导工人阶级和广大人民群众在批判旧世界的过程中建设新世界、争取解放和自由的学说，又具有鲜明的批判的、革命的本性与精神。马克思在《资本论》1872年第二版跋中指出："辩证法在对现存事物的肯定的理解中同时包含对现存事物的否定的理解，即对现存事物的必然灭亡的理解；辩证法对每一种既成的形式都是从不断的运动中，因而也是从它的暂时性方面去理解；辩证法不崇拜任何东西，按其本质来说，它是批判的和革命的。"②

列宁适应无产阶级革命时代的革命斗争实践需要，深入研究和阐释马克思主义的唯物辩证法，认为"统一物之分为两个

① 《马克思恩格斯选集》第1卷，人民出版社1995年版，第144页。
② 《马克思恩格斯选集》第2卷，人民出版社1995年版，第112页。

部分以及对它的矛盾着的部分的认识……，是辩证法的实质”①，辩证法就是研究对象的本质自身中的矛盾。发展是对立面的同一性与斗争性共同作用的结果。“对立面的同一……，就是承认（发现）自然界的（也包括精神的和社会的）一切现象和过程具有矛盾着的、相互排斥的、对立的倾向。要认识在‘自己运动’中、自生发展中和蓬勃生活中的世界一切过程，就要把这些过程当做对立面的统一来认识。发展是对立面的‘斗争’。有两种基本的（或两种可能的？或两种在历史上常见的？）发展（进化）观点：认为发展是减少和增加，是重复；以及认为发展是对立面的统一（统一物之分为两个互相排斥的对立面以及它们之间的相互关系）。”②第一种观点否定了事物自己的运动，忽视了事物运动的动力、泉源和动因，是僵死的、平庸的、枯燥的运动观；第二种观点则是将注意力放在认识自己运动的泉源上，是一种活生生的发展观。“只有第二种观点才提供理解一切现存事物的‘自己运动’的钥匙，才提供理解‘飞跃’、‘渐进过程的中断’、‘向对立面的转化’、旧东西的消灭和新东西的产生的钥匙。”③列宁强调事物的自己的运动，而自己运动的根本原因在于对立面的统一与斗争。在同一性与斗争性二者之间，他强调矛盾斗争性的地位与意义，认为“对立面的统一（一致、同一、均势）是有条件的、暂时的、易逝的、相对的。相互排斥的对立面

① 《列宁专题文集·论辩证唯物主义和历史唯物主义》，人民出版社 2009 年版，第 148 页 。

② 《列宁专题文集·论辩证唯物主义和历史唯物主义》，人民出版社 2009 年版，第 149 页 。

③ 《列宁专题文集·论辩证唯物主义和历史唯物主义》，人民出版社 2009 年版，第 149 页 。

的斗争是绝对的,正如发展、运动是绝对的一样"①。同时,又指出了绝对与相对的差别的相对性、互渗性、变动性:"在(客观)辩证法中,相对和绝对的差别也是相对的。对于客观辩证法说来,相对中有绝对。对于主观主义和诡辩论说来,相对只是相对,因而排斥绝对。"②列宁充分肯定矛盾的同一性与斗争性在事物发展中的作用,指出发展既是对立面的统一,也是对立面的斗争,是二者交互作用的结果。从事物发展的总体过程来看,对立面的统一是相对的,对立面的斗争是绝对的;但绝对性与相对性的差别也具有相对性。

毛泽东在《矛盾论》中明确反对无矛盾思维和两极对立思维,深刻研究和阐发了唯物辩证法的矛盾思维,为中国共产党人运用矛盾辩证法认识世界和改造世界,提供了科学的思维方式和方法。首先,反对无矛盾思维,指出矛盾普遍存在,没有矛盾就没有世界。其次,反对均衡思维,强调要认清和抓住主要矛盾和矛盾主要方面,努力完成根本任务和中心工作。再次,反对两极对立思维,主张在对立中把握统一,在统一中把握对立。毛泽东作为辩证法大师,从中国革命波澜壮阔的历史进程和严酷的对敌斗争实践中深切地认识到矛盾斗争对于赢得战争、取得革命胜利的极端重要性,同时也深刻认识到矛盾同一、革命队伍团结、统一战线的重要性,强调团结、联合、统一、依存、渗透、存异、共处,善于团结、凝聚、调动一切积极因素和力量,反对最主要的

① 《列宁专题文集·论辩证唯物主义和历史唯物主义》,人民出版社 2009 年版,第 149 页。

② 《列宁专题文集·论辩证唯物主义和历史唯物主义》,人民出版社 2009 年版,第 149 页。

敌人，完成艰难困苦的事业。当然，从总体上来看，在民主革命时期，出于斗争策略的需要，毛泽东是比较强调矛盾斗争性的，但这丝毫没有改变辩证法和辩证思维的全面而无片面性弊病的本性。毛泽东本人对于只讲斗争而否定统一的形而上学片面性，也始终保持一种思想的清醒和警觉。1957 年 1 月 27 日，他在省市自治区党委书记会议上的讲话中指出，斯大林有许多形而上学，并且教会许多人搞形而上学。他在讲事物的内在矛盾时，"只讲对立面的斗争，不讲对立面的统一。按照对立统一这个辩证法的根本规律，对立面是斗争的，又是统一的，是互相排斥的，又是互相联系的，在一定条件下互相转化的。"①如果不能将这种斗争和统一联系起来，不承认对立统一，就会在政治上犯错误。

经过新中国成立以来特别是改革开放以来的发展，中国特色社会主义事业取得了巨大成就，我国的经济体制深刻变革、社会结构深刻变动、利益关系深刻调整、思想观念深刻变化，中国共产党所处的历史方位和所承担的历史使命也发生了巨大而深刻的变化。中国共产党作为执政党，必须从最广大人民的利益出发，协调社会各阶层、各群体的利益关系，调动全社会、全民族的积极性，建设富强、民主、文明、和谐的社会主义现代化国家。在这样的形势和条件下，要处理纷繁复杂的利益关系，无疑仍须坚持运用矛盾思维来审视和解决各种社会问题，同时又要调整思维方式和政策策略，重视同一，追求和谐，促进和实现社会各阶层、群体的团结合作与利益协调。和谐是矛盾各方在同一性

① 《毛泽东文集》第 7 卷，人民出版社 1999 年版，第 194 页。

与斗争性的双重作用下达到的一种稳定有序、动态平衡、互利共生的状态。社会和谐包括社会有机体各组成部分的和谐、人与社会的和谐、人与人的和谐、人的身心和谐以及人与自然的和谐等诸多方面。和谐思维是高度重视矛盾同一性、综合发挥矛盾同一性与斗争性的作用、以社会和谐为目标的思维。确立和谐思维,实现协调发展与和谐发展,构建民主法治、公平正义、诚信友爱、充满活力、安定有序、人与自然和谐相处的社会主义和谐社会,是当代中国发展的必然趋势和人民群众的愿望要求。

世界上一切事物都存在着矛盾,任何矛盾都存在着相互对立的诸多方面,而矛盾着的对立面既具有同一性,又具有斗争性。同一为斗争提供基础与前提,并规定了斗争的性质、方式与对立面转化的方向;斗争则促进了对立面的转化与融合,促进了旧的统一体的解体与新的统一体的诞生。矛盾着的对立面的共存、斗争以及融合、转化,就是从共存出发,经过不同形式的斗争,形成新的统一体,并在新的统一体的基础上开始新的矛盾运动。在事物的运动发展过程中,原有矛盾统一体内部对立双方的共存是事物运动发展的基础,双方的斗争是事物运动发展的动力,双方最终融合成一个新的统一体则是事物运动发展的结果。总起来说,辩证法是关于矛盾即对立统一的学说,它着重探讨事物如何因其内部矛盾各方的对立、斗争,从原有的共存、统一、同一,而达到新的共存、统一、同一,从而推动事物的持续运动和不断发展。我们要重视同一性的作用,但这种同一是以差异、对立、多样性为前提的,而不是没有差异、没有对立、死板单调的同一;要看到社会主义社会基本矛盾的基本适应性,同时还要看到其不适应性;要看到当代中国社会各阶层、群体之团结、合作、互利、共生的利益一致性，还要看到其利益的差异性和互斥性；要看到国家层面整合、协调、平衡对于促进社会公平、维护社会稳定的作用，也要看到社会各阶层、群体争取自身合法利益的意义。要以追求社会和谐为价值取向，但社会和谐并非没有矛盾、没有斗争、刚性稳定、永恒不变的，而是一个充满矛盾的、矛盾不断产生而又不断解决的动态过程；社会和谐并非自然而然的结果，而是通过矛盾的统一与斗争而得以实现、维护和发展的。

社会主义制度的建立和发展，并没有消灭矛盾。在社会主义社会，仍然充满着矛盾。矛盾并不是社会主义发展的障碍，而是社会主义发展的动力。构建社会主义和谐社会，要坚持同一性与斗争性的辩证统一。我们不是要回避矛盾、否定斗争，而是要正视矛盾，分析矛盾，采取正确的方法解决矛盾，尽可能增加和谐因素、努力减少不和谐因素。社会主义和谐社会的建构实际是矛盾不断发生又不断解决的持续过程，是通过斗争而走向和谐的过程。

改革是一场新的革命，是对于落后的思想观念、僵化的体制机制、不公正不合理的利益格局所进行的斗争。现在我国改革已经进入攻坚期和深水区，我们必须以更大的政治勇气和智慧，不失时机深化重要领域改革。我们要坚持改革开放正确方向，敢于啃硬骨头，敢于涉险滩，既勇于冲破思想观念的障碍，又勇于突破利益固化的藩篱。对于阻碍生产力发展、窒息社会活力迸发、妨害社会公正实现的不合理的僵化的体制机制，要锐意改革；对于阻碍民主法治建设的障碍，要坚决清除；对于特殊利益集团，要坚决铲除；对于行业垄断、部门利益，要坚决取缔；对于影响群众最关心、最直接、最现实的利益的问题,要切实解决。

党风廉政建设关系到党的先进性纯洁性,关系到党的凝聚力战斗力,关系到党在人民群众中的地位与形象,关系到党的生死存亡。要高度重视党风廉政建设和反腐败斗争,坚持党要管党、从严治党,坚决查处腐败案件,坚持“老虎”、“苍蝇”一起打,既坚决查处领导干部违纪违法案件,又切实解决发生在群众身边的不正之风和腐败问题,形成对腐败分子的高压态势;要坚持以零容忍态度惩治腐败,对腐败分子发现一个就要坚决查处一个,要发现问题及时处理,不能养痈遗患;要深刻认识反腐败斗争的长期性、复杂性、艰巨性,以猛药去疴、重典治乱的决心,以刮骨疗毒、壮士断腕的勇气,坚决把党风廉政建设和反腐败斗争进行到底;要强化反腐败体制机制创新和制度保障,强化制约,强化监督,强化公开,强化责任追究,堵塞一切可能出现的腐败漏洞。

对于形式主义、官僚主义、享乐主义、奢靡之风等损害群众利益的各种行为,要坚决纠正。“四风”都严重损害党在人民群众中的形象,都严重破坏党同人民群众的血肉联系。必须通过积极的思想斗争,教育引导党员、干部树立群众观点,坚持群众路线,坚决反对形式主义,端正学风、文风、工作作风;坚决反对官僚主义,深入实际、深入基层、深入群众,坚持民主集中制,虚心向群众学习,真心对群众负责,热心为群众服务,诚心接受群众监督;坚决反对享乐主义,牢记“两个务必”,克己奉公,勤政廉政,始终保持昂扬向上、奋发有为的精神状态;坚决反对奢靡之风,坚持节约光荣、浪费可耻的思想观念,做厉行节约、艰苦奋斗的模范,使党员、干部的思想进一步提高,作风进一步转变,党群关系进一步密切，为民务实清廉的形象进一步树立。为民，就是要坚持人民群众创造历史、人民群众是真正英雄的历史唯物主义观点，坚持以人为本、人民至上的价值观念，坚持立党为公、执政为民的立场观点，坚持一切为了群众、一切依靠群众、从群众中来、到群众中去的群众路线，问政于民、问需于民、问计于民，密切联系群众，真心实意为人民谋利益。务实，就是要求真务实、真抓实干，理论与实际相结合，真理原则与价值原则相统一，说实话，做实事，求实效，有作为，敢担当。清廉，就是要严格遵守党纪国法，严格规范权力行使，自我约束，自我净化，防微杜渐，拒腐防变，做到干部清正、政府清廉、政治清明。

我们要解决经济社会发展和党的建设中存在的问题，既要通过“同一”的方式，也要通过“斗争”的方式。没有“同一”与“斗争”的交互作用，就没有社会的公正与和谐。从一定意义上说，甚至可以说没有斗争，就没有公正与和谐。但需要指出的是，斗争不是目的，而是实现公正与和谐的必要手段，是走向公正与和谐的必由之路。

（三）坚持正确的价值取向

价值观是世界观的重要内涵，马克思主义价值观是马克思主义哲学的重要组成部分。马克思主义哲学揭示了自然界、人类社会和思维的本质与发展规律，代表了工人阶级和广大人民群众的利益，以指导工人阶级和广大人民群众改造世界的实践为崇高使命。马克思、恩格斯在《德意志意识形态》中说：“对实践的唯物主义者即共产主义者来说，全部问题都在于使现存世界革命化，实际地反对并改变现存的事物。"①人们认识世界和改造世界，就是要使客观事物发生既合规律又合目的的变化，以适合人类生存和发展的需要。而人们对于认识对象的选择，对于客观规律的把握，对于实践目标的确立，对于方法手段的采用，都是在一定价值观的引导下进行的。既来自实践又为实践服务的马克思主义哲学，理所当然地将价值问题作为自己的研究对象，把价值论作为自己的重要理论内涵。

马克思主义价值观既是马克思主义哲学的重要组成部分，又是贯穿于马克思主义哲学其他组成部分之中的基本观念。马克思主义认识论讲实践与认识的关系，从根本上来说，就是要认识客观规律和人的需要，按照客观规律与人的需要建构一定的实践观念，以指导人们改造世界的实践。马克思主义的唯物辩证法既是客观事物的辩证法，又是人的认识和实践的辩证法，是指导人们认识世界和改造世界的科学方法论。如果离开了人的主体需要，离开人类认识和改造世界的活动，就失去了其方法论意义。在社会历史领域，价值活动是人类社会的本质性活动。人类社会的发展规律，从根本上来说，就是人们进行价值认知、评价、选择、创造和享有活动的规律。马克思主义的唯物史观也具有鲜明的价值意蕴，谋求工人阶级和广大人民群众的自由、解放和福祉，实现人的自由全面发展，是马克思主义哲学的根本价值取向和最高价值追求。可以说，马克思主义价值论与马克思主义哲学其他部分共同发挥着世界观方法论的指导作用。因

---

① 《马克思恩格斯选集》第1卷，人民出版社1995年版，第75页。

此,我们要在新的历史条件下坚持和发展《实践论》《矛盾论》,还必须坚持正确的价值取向,全面深化改革,整体推进中国特色社会主义事业。

中共十八届三中全会《决定》,明确提出了全面深化改革的指导思想与目标任务,描绘了全面深化改革的新蓝图新愿景,制定了全面深化改革的总战略路线图。全面深化改革,是党在新的时代条件下带领全国各族人民进行的新的伟大革命。我们要全面建成小康社会,进而建成富强民主文明和谐的社会主义现代化国家,实现中华民族伟大复兴的中国梦,必须树立和坚持马克思主义改革观,以求真务实的态度和锐意进取的勇气全面深化改革,不断发展完善中国特色社会主义制度,为我国经济社会发展提供不竭动力与可靠保障。

全面深化改革是推动中国经济社会发展的不竭动力,是决定中国特色社会主义命运的关键。全面深化改革,必须坚持正确的价值取向。在社会历史领域,价值活动是人类社会的本质性活动。人类社会的发展规律,从根本上来说,就是人们进行价值认知、价值评价、价值选择、价值创造和价值享有活动的规律。人类社会的历史,从一定意义上来说,就是人们不断追求、创造和享有价值的历史。价值观作为一种价值导向机制,为人们的思想与行动提供价值坐标,指明目标方向。若没有正确的价值观,人们就无法作出正确的思考与选择,无法保持思维与实践的深入、持久、一贯、坚定。列宁指出:“如果不先解决总的问题就去着手解决局部性问题,那么随时随地都必然会不自觉地‘碰上’这些总的问题。而在每一具体场合不由自主地碰上这些问题,就必然会使自己的政策陷于动摇不定和不讲原则的糟糕境地。”①在全面深化改革的关键时期,我们必须具有清醒的价值自觉,以马克思主义的价值观为指导,站在最广大人民的立场考虑问题、安排制度、构想战略、制定政策,以正确的价值标准判定各项改革举措的成败利钝、是非得失。

党的十八届三中全会的《决定》明确提出了全面深化改革的指导思想、总体目标、主要任务和战略道路,总结概括了改革开放的重要经验,指出“全面深化改革,必须高举中国特色社会主义伟大旗帜,以马克思列宁主义、毛泽东思想、邓小平理论、‘三个代表’重要思想、科学发展观为指导,坚定信心,凝聚共识,统筹谋划,协同推进,坚持社会主义市场经济改革方向,以促进社会公平正义、增进人民福祉为出发点和落脚点,进一步解放思想、解放和发展社会生产力、解放和增强社会活力,坚决破除各方面体制机制弊端,努力开拓中国特色社会主义事业更加广阔的前景”。“全面深化改革的总目标是完善和发展中国特色社会主义制度,推进国家治理体系和治理能力现代化。必须更加注重改革的系统性、整体性、协同性,加快发展社会主义市场经济、民主政治、先进文化、和谐社会、生态文明,让一切劳动、知识、技术、管理、资本的活力竞相迸发,让一切创造社会财富的源泉充分涌流,让发展成果更多更公平惠及全体人民。”“改革开放的成功实践为全面深化改革提供了重要经验,必须长期坚持。最重要的是,坚持党的领导,贯彻党的基本路线,不走封闭僵化的老路,不走改旗易帜的邪路,坚定走中国特色社会主义道路,

① 《列宁全集》第15卷,人民出版社1988年版,第366页。

始终确保改革正确方向；坚持解放思想、实事求是、与时俱进、求真务实，一切从实际出发，总结国内成功做法，借鉴国外有益经验，勇于推进理论和实践创新；坚持以人为本，尊重人民主体地位，发挥群众首创精神，紧紧依靠人民推动改革，促进人的全面发展；坚持正确处理改革发展稳定关系，胆子要大、步子要稳，加强顶层设计和摸着石头过河相结合，整体推进和重点突破相促进，提高改革决策科学性，广泛凝聚共识，形成改革合力。”①

在全面深化改革的指导思想、总体目标和重要经验中，蕴涵着全面深化改革必须坚持的正确的价值观与科学的方法论。坚持正确的价值观与科学的方法论，对于坚持改革的正确方向，实现改革的目标追求，具有极为重要的意义。

要坚持生产力标准这一改革的根本价值尺度。生产力是社会发展的最终决定力量，高度发达的生产力是当代中国一切发展进步的物质基础。解放和发展社会生产力是中国特色社会主义的根本任务，也是全面深化改革、推进中国特色社会主义事业的根本价值取向。全面深化改革，必须坚持生产力标准，坚持以经济建设为中心，坚定不移地推进经济体制、政治体制、文化体制、社会体制、生态建设体制以及党的领导体制与工作机制的改革，促进社会主义现代化建设的各个环节、改革方面相协调，促进生产关系与生产力、上层建筑与经济基础相协调，极大地解放和发展中国的社会生产力，为坚持和发展中国特色社会主义、改善和普惠民生奠定坚实的物质基础。

---

① 《中共中央关于全面深化改革若干重大问题的决定》，人民出版社 2013 年版，第 2—3、6—7 页。

要坚持人民价值主体地位这个改革的最高价值尺度。人民群众是改革与发展的实践主体和核心动力，也是改革与发展的终极目的和最高价值，中国的一切改革与发展要依靠广大人民群众的积极参与，也是为了实现、维护和发展最广大人民的根本利益。坚持人民价值主体地位，就是坚持为了人民而进行改革，依靠人民而推进改革，把实现好、维护好、发展好最广大人民根本利益作为推进改革的出发点和落脚点，让改革与发展的成果更多更公平惠及全体人民。我们要坚持改革的正确方向，提高改革决策的科学性，增强改革措施的协调性，增强改革利益的普惠性，使最广大人民群众从改革中受益。我们不仅要切实解决人民群众最直接、最现实、最关心的利益问题，满足人民群众当下的合理需要和利益诉求；还要深谋远虑、未雨绸缪，思考、筹划人民群众之根本的、长远的、全局的利益问题。忽视人民群众最直接、最现实、最关心的利益问题的解决，不能给人民群众看得见的物质利益，就会影响人民群众的当下生产和生活，得不到人民群众的拥护支持；忽视长远、根本、全局问题的深谋远虑和战略谋划，就会给国家、民族和人民未来的生存发展留下后患。

要坚持维护社会公平正义这个改革的制度价值尺度。公平正义是指在处理各种利益关系时，体现自由、平等、正义的原则和精神，使权利和义务相统一，成本担当和利益分享相一致，使每个人都能够各尽其分、各得其所、各得其值、各遂其生。对生命的平等关怀，对公民权利的平等尊重，对经济利益的平等分配，给所有社会成员以平等的待遇，是公平正义的基本要求。一个社会应当通过适当的制度与体制安排，使全体社会成员获得充分发展与发挥自己主体能力的平等机会，并通过公平的财富分配，使全体社会成员公平享有经济社会发展的成果。社会公正的对象是社会的基本结构，是对于用来分配公民的基本权利和义务、划分社会合作产生的利益和负担的主要制度的根本要求。社会公正是制度的第一美德和首要价值，也是制度改革创新的核心价值取向。一个社会要平等分配各种权利和义务，同时尽量平等地划分社会合作所产生的利益和负担。对社会资源进行公正、合理的分配，不仅需要道德精神的力量，更需要内蕴着公正精神的制度的力量。制度公正能够保证每个社会成员都有平等的机会参与经济、政治、社会和文化生活，不允许任何人以特殊地位而在经济、社会和文化上享有特权。公平正义是中国特色社会主义的内在要求，是当代中国制度改革创新的中心课题。我们必须以社会公正为导向进行制度改革创新与政策制定实施，建设对保障社会公平正义具有重大作用的制度，逐步建立以权利公平、机会公平、规则公平为主要内容的社会公平保障体系，努力营造公平的社会环境，保证人民平等参与、平等发展权利。共同富裕是中国特色社会主义的根本原则，也是公平正义在分配问题上的具体体现。要坚持社会主义基本经济制度和分配制度，调整国民收入分配格局，加大再分配调节力度，着力解决收入分配差距扩大的问题，使发展成果更多更公平惠及全体人民，朝着共同富裕方向稳步前进。以公平正义、共富共享的价值取向引领改革发展，必将极大地增进人民团结，极大地凝聚改革发展共识，极大地激发创新创造活力。

要切实尊重人民群众的首创精神，为了人民搞改革，依靠人民深化改革。群众观点是我们党的根本政治观点，群众路线是我们党的生命线和根本路线。90 多年来，我们党团结带领人民赢得了新民主主义革命和社会主义改造的胜利，取得了社会主义建设以及改革开放的伟大成就，创造了中华民族发展史上的伟大奇迹，靠的是始终坚持群众观点和群众路线，把全心全意为人民服务作为根本宗旨，把紧紧依靠最广大人民群众作为永不枯竭的力量源泉。中国共产党领导革命、建设和改革，都是为了人民群众，也是紧紧依靠人民群众取得胜利和成功的。什么时候我们真正做到了一切为了群众和一切依靠群众，我们的事业就发展、就成功；什么时候违背了群众的意愿，失去了群众的拥护，我们的事业就会遭受挫折和失败。在全面深化改革的过程中，要始终坚持人民群众的价值主体地位，把人民群众放在最高位置，把人民利益作为最高利益，把人民对美好生活的向往作为党的奋斗目标。要多谋民生之利，多解民生之忧，在学有所教、劳有所得、病有所医、老有所养、住有所居上持续取得新进展。要正确处理人民群众根本利益、现实阶段群众共同利益、不同群体特殊利益的关系，切实把人民利益实现好、维护好、发展好。要始终坚持人民群众的实践主体地位，尊重人民群众的首创精神，充分发挥人民群众的积极性、主动性和创造性，从人民群众的经验智慧中寻求改革的思路、措施、办法，在向人民群众学习请教、问计问需问政的过程中增强谋划改革、领导改革、推进改革的智慧与本领，寻找深化改革、破解矛盾与难题的办法。改革开放是亿万人民自己的事业，改革开放的经验创造、政策制定、制度安排，无不来自人民群众的实践与智慧。在深化改革的过程中，要紧紧依靠人民群众，汲取人民群众的智慧，凝聚人民群众的力量，善于通过提出和贯彻正确的路线方针政策带领人民群众前进；要尊重地方、基层、群众的首创精神，鼓励地方、基层、群众大胆探索、先行先试，善于从人民群众的实践创造和发展要求中完善政策主张，自觉在人民群众实践中检验、评判改革的成效，使改革开放成为广大人民群众广泛参与、普遍受益的过程，使改革发展成果更多更公平地惠及全体人民，不断为深化改革开放夯实群众基础。

实践发展永无止境，认识真理永无止境，理论创新永无止境，改革开放永无止境。我国的改革也只有进行时没有完成时，改革开放中的矛盾只能用改革开放的办法来解决。我们要树立和坚持马克思主义改革观，把握时代要求，顺应人民愿望，凝聚社会共识，全面深化改革，坚决摒弃僵化落后的思想观念，坚决破除不合理的利益格局，坚决消除体制机制的弊端，不断推进中国特色社会主义制度的创新完善，奋力开拓中国特色社会主义更为广阔的发展前景。

毛泽东的《实践论》和《矛盾论》诞生已经80年了，它所昭示的基本立场、观点和方法，随着社会的发展和时代的变迁，愈益显示出动人的理论魅力和巨大的实践价值。时至今日，它仍然是党的思想路线的重要哲学基础，仍然是中国特色社会主义理论体系的重要哲学基础。我们既要通过重读经典，从先驱者的思想中获得教益与启迪，又要从变化了的时代、变迁了的社会、前进着的实践中汲取新的思维方式和价值观念。在新的实践中坚持毛泽东哲学思想，坚持党的思想路线，不断开辟当代中国马克思主义发展的新境界，开创中国特色社会主义事业发展新局面，是当代中国共产党人的理论使命与实践使命、历史选择与时代选择。